Kate Walker

El retorno del extraño

Editado por HARLEQUIN IBÉRICA, S.A.
Núñez de Balboa, 56
28001 Madrid

EL RETORNO DEL EXTRAÑO, N.º 2164 - 20.6.12
Título original: The Return of the Stranger
Publicada originalmente por Mills & Boon®, Ltd., Londres.

I.S.B.N.: 978-84-9010-870-3
Depósito legal: M-13073-2012
Editor responsable: Luis Pugni
Fotomecánica: M.T. Color & Diseño, S.L. Las Rozas (Madrid)
Impresión en Black print CPI (Barcelona)
Fecha impresion para Argentina: 17.12.12
Distribuidor exclusivo para España: LOGISTA
Distribuidor para México: CODIPLYRSA
Distribuidores para Argentina: interior, BERTRAN, S.A.C. Vélez Sársfield, 1950. Cap. Fed./ Buenos Aires y Gran Buenos Aires, VACCARO SÁNCHEZ y Cía, S.A.
Distribuidor para Chile: DISTRIBUIDORA ALFA, S.A.

Capítulo 1

HABÍA vuelto.

Heath estaba en el montículo del páramo, exactamente entre las dos casas que habían conformado su vida en el pasado. Sobre la colina, el antiguo edificio de piedra llamado High Farm ahora abandonado, los marcos de las ventanas descolgados, el jardín como una selva, tenía un aspecto tan triste y poco acogedor como el viento que sacudía las copas de los árboles.

Más abajo, en el valle, estaba la casa Grange, elegante y bien cuidada, con un precioso jardín lleno de rosas y, a un lado del jardín, el brillo azulado de una piscina.

Él había crecido en una de esas casas, pero nunca había podido llamarla su hogar. Había pasado la mayor parte de su infancia y adolescencia allí, pero nunca fue su sitio. Siempre se había sentido como un extraño y cuando murió el hombre que lo llevó allí, cualquier traza de «calor familiar» había desaparecido con él.

De la otra casa había estado excluido por completo. Ni siquiera le permitían atravesar el quicio de la puerta y mucho menos entrar en alguna de sus elegantes habitaciones. Solo una vez lo había logrado y en esa ocasión lo habían agarrado por el cuello de la camisa para lanzarlo al camino con tal fuerza que durante días estuvo quitándose las piedrecitas que habían quedado incrustadas en su cara.

Había vuelto, pero aquel no era su hogar.

–Hogar... ¡ja!

Heath pateó una piedrecilla del suelo y la vio rebotar por el camino antes de quedarse inmóvil sobre un retazo de hierba.

Aquel nunca había sido su hogar incluso cuando había anhelado que lo fuera. Diez años antes, siendo un adolescente y sin un céntimo, le había dado la espalda a aquel sitio empujado por una última traición, un último rechazo. Se había marchado de High Farm una noche tan vil que parecía como si todos los demonios del infierno estuviesen aullando por el páramo, el viento y la helada lluvia dejándolo aterido.

Solo con la ropa que llevaba puesta y sus ahorros en el bolsillo, una cantidad tan pequeña que no se atrevería a dársela a un mendigo, Heath había jurado que un día volvería. Pero no hasta que tuviera el estatus social, el poder y el dinero necesarios para que ni la familia Nicholls ni los Charlton pudiesen hacer nada contra él.

Había tardado diez años, pero ya estaba preparado.

Decían que la venganza era un plato que se servía frío y en esos años había tenido tiempo de hacerse frío como el hielo.

De hecho, ya había movido la primera ficha de un dominó que pronto acabaría con las defensas de sus enemigos.

Un golpe de viento revolvió su pelo y mientras lo apartaba de su cara tocó la cicatriz en su mejilla, sonriendo con amargura al recordar quién se la había hecho.

Antes de que terminase la semana, Joseph Nicholls lamentaría aquel golpe... y muchos más.

¿Y la hermana de Joseph? ¿Qué pasaría con Kat? –Katherine...

Pensar en ella era un error y Heath sacudió la cabeza para apartar los recuerdos; unos recuerdos que creía haber enterrado mucho tiempo atrás.

Tenía cosas que hacer, planes que poner en marcha, y no iba a dejar que el recuerdo de la chica que una vez se había adueñado de lo que quedaba de su pobre corazón para pisotearlo lo distrajese de su propósito cuando estaba a punto de conseguir su objetivo.

La vería tarde o temprano, por supuesto. ¿Cómo iba a volver a Hawden y no encontrarse con ella?

No podría marcharse de allí sin exorcizar el amargo recuerdo que Katherine le había dejado, una cicatriz más profunda que las que tenía en el cuerpo.

Tendría que volver a verla una última vez antes de marcharse del valle de Hawden para siempre. Pero antes tenía otras cosas que hacer, otros recuerdos que borrar, crueldades e injusticias que vengar.

Estaba dispuesto a demostrarle a las familias que tan cruelmente lo habían tratado que ya no tenían ningún poder sobre él. Al contrario, era él quien a partir de ese momento controlaría sus vidas.

Katherine Nicholls... Katherine Charlton ahora podía esperar un poco más. Tenía que volver a verla para saber que todo había quedado atrás. Eso sería lo último que hiciera antes de sacudirse el polvo de Hawden de los zapatos.

–Alguien desea verla, señora Charlton.

Kat estaba leyendo unos papeles, de modo que no levantó la mirada, pero frunció el ceño, desconcertada, cuando Ellen, el ama de llaves, hizo el anuncio desde el quicio de la puerta.

No había oído el timbre y la vacilación de Ellen, que no le había dicho directamente quién quería verla, le parecía extraña. Como era extraño que la llamase por el formal «señora Charlton» cuando su ama de llaves solía llamarla Kat.

Por supuesto, cuando Arthur vivía era diferente porque su marido siempre había insistido en que fuesen tratados con estricta formalidad. Pero Arthur había muerto unos meses antes y el régimen que había impuesto fue una de las primeras cosas que Kat decidió cambiar.

–¿Quién es, Ellen?

–Dice que viene de Londres –respondió el ama de llaves. Y, por su tono, estaba claro que no era cualquier persona.

Pero entonces recordó quién debía visitarla aquel día y lo entendió todo. Nada había sido lo mismo en los últimos meses, desde la inesperada muerte de Arthur y lo que quedó al descubierto tras esa muerte. Y aquel era el día en el que iba a descubrir cuál era su situación.

–Dile que pase, Ellen.

Sabía que se notaba la tensión en su voz. Después de todo, era la abogada de Arthur, la persona que tenía en sus manos los detalles de su futuro. Y el futuro de Ellen, que estaba atado a aquel sitio tanto como el de muchos otros empleados de la finca. Tanta gente que había sido engañada por su marido... esa era una de las razones por las que aquel día era tan importante.

La cantidad de problemas que Arthur había dejado atrás la había tomado por sorpresa. Su afición al juego y otras sórdidas maneras de gastar dinero eran más que suficiente para disgustarla, pero el número de sus deudas, sobre todo a una empresa extranjera, la Compañía Itabira en Sudamérica, la había dejado estupefacta.

Una cosa estaba clara: su difunto esposo la había dejado en la ruina, gastándose hasta el último céntimo en una vida secreta que le había escondido desde que se casaron... incluso antes de eso.

La verdad, tenía que reconocer, era que nunca había conocido a Arthur Charlton.

El hombre con el que se había casado, el hombre con el que había creído casarse, nunca había existido. Y si hubiera sospechado algo de lo que había descubierto tras su muerte jamás se habría casado con él.

Y si su visita era la abogada, debía haberse hecho una operación de cambio de sexo, pensó, irónica, al notar que los pasos en el vestíbulo sonaban más pesados que los de Ellen.

No, era un hombre y definitivamente un hombre con un propósito, como solía decir su abuela. Sus pasos eran fuertes, firmes, seguros.

Tras ella, los pasos se detuvieron y el repentino silencio le dijo que el visitante estaba en el quicio de la puerta. Pero antes de que pudiese levantar la mirada, escuchó una voz que puso su mundo patas arriba.

–Hola, Kat.

Esa voz...

No podía ser, era imposible.

–¿Heath?

Al darse la vuelta, los papeles que estaba leyendo cayeron de su mano sin que se diera cuenta. Y al ver al hombre que estaba en el quicio de la puerta sintió como si volviera atrás en el tiempo.

«Hola, Kat».

Cuando había pensado que jamás volvería a verlo, que nunca volvería a escuchar esa voz. Era casi como si hubiera regresado de entre los muertos.

–¡Heath!

Era Heath, el mismo Heath de siempre y, sin embargo, otra persona. Aquel hombre era más grande, más musculoso, más oscuro. Tan diferente y, sin embargo, el mismo. El chico salvaje que había sido, de la sonrisa amplia, los puños siempre preparados y el corazón dolido, seguía ahí. Podía verlo en esos ojos de ébano.

Pero el chico salvaje estaba ahora escondido bajo una capa pulida y sofisticada. Heath se había convertido en un hombre muy apuesto e increíblemente sexy.

Su pelo, una vez perpetuamente despeinado, ahora estaba cortado a la perfección, su cuerpo fibroso bajo un traje de chaqueta de color gris que destacaba unos hombros anchos y unas piernas poderosas plantadas firmemente sobre la moqueta de color crema, las botas negras hechas a mano brillando en contraste con los colores pastel.

La inmaculada camisa blanca destacaba su tez bronceada... un bronceado adquirido después de diez años en un clima más cálido que los páramos de Yorkshire. Sobre los hombros llevaba un impermeable negro y largo que la hacía pensar en un salteador de caminos pistola en mano, demandando que le entregase sus joyas.

¿Y eso que brillaba en el lóbulo de su oreja era un pendiente? Sí, era una esmeralda que parecía hacerle guiños; un adorno tan fantástico, inesperado y exóticamente bello como el hombre que tenía delante.

–Eres tú.

Una vez se habría sentido feliz de volver a verlo, cuando eran amigos. Pero esa persona había desaparecido. Después de las amenazas de Heath mientras se marchaba de High Farm, Kat sabía que su afecto por ella había muerto para siempre. Y, a juzgar por la hostilidad de su expresión, no había ido allí para una reunión nostálgica.

–¿A quién esperabas? –le preguntó él, con una voz que conocía pero que nunca había escuchado antes, con un ligero acento.

Aquel hombre había sido una parte esencial de su vida. Mucho más que un amigo con el que había compartido su infancia, el dolor por la muerte de su padre y el principio de su adolescencia. El chico que se había puesto de su lado contra la tiranía de su hermano y luego, sencillamente, había desaparecido.

Se había marchado de High Farm sin dar ninguna explicación y no había vuelto a ponerse en contacto con ella desde entonces.

Kat había llorado su ausencia durante meses, pero él parecía haberla olvidado de inmediato. No había vuelto a verlo o a saber de Heath en diez largos años...

Sin embargo, le decía: «Hola, Kat», y eso era todo lo que hacía falta para poner su mundo patas arriba.

Pero eso era lo que Heath había amenazado con hacer.

–¿Quién creía que podía ser, *lady Katherine*?

El tono cínico era nuevo también. Como su aspecto, era completamente diferente a todo lo que Kat recordaba de él. Su Heath nunca la había mirado así. El Heath al que había conocido nunca se había portado como un predador. Claro que ella, mejor que nadie, sabía que las apariencias eran engañosas.

Pero, a pesar de su nuevo aspecto, seguía pareciendo una criatura salvaje de mirada vigilante y músculos preparados para luchar o salir corriendo, lo que fuera necesario.

En sus ojos oscuros, Kat vio un brillo de desafío. El antiguo Heath estaba ahí, en ese brillo; una naturaleza rebelde que ningún sofisticado traje de chaqueta podría esconder.

Cuando lo miraba, veía las facciones de su antiguo amigo y, sin embargo, nada del afecto que había habido entre ellos. Heath estaba allí, pero el chico había desaparecido y Kat lo echaba tanto de menos...

–¡Lady Katherine! –repitió, sorprendida–. Antes siempre me llamabas Kat.

–Entonces eras Kat.

Se mostraba tan frío, tan distante.

Heath se quitó el impermeable y lo tiró sobre el respaldo de un sillón.

–Pero eso fue hace mucho tiempo –dijo ella–. Entonces éramos niños.

¿Y en ese tiempo no había aprendido nada?, se preguntó Heath.

No debería haber ido allí. Se había dicho a sí mismo que volvía por una sola razón, que solo lidiaría con los dos hombres que le habían hecho la vida imposible cuando era un crío. Los hombres que lo habían tratado como si fuera un animal y no un ser humano.

Volvería a Hawden para mostrarles en qué se había convertido, para revelar el poder que ahora tenía sobre ellos y tirarles sus insultos y su crueldad a la cara antes de marcharse para no volver jamás.

Y llevaría a cabo ese plan, al menos con Joseph Nicholls. Arthur Charlton era otra cuestión.

Cuando descubrió que Arthur había muerto se había sentido como un cazador al que hubieran robado su presa. Sin la satisfacción de enfrentarse con el odiado aristócrata, la frustración se lo comía. Y esa frustración lo había llevado al sitio al que había jurado no volver nunca.

A Katherine Charlton, que una vez había sido Katherine Nicholls, la mujer que había roto lo que quedaba de su corazón cuando su hermano y su mejor amigo lo habían destrozado, aplastándolo cruelmente con su elegante pie.

–Ya no somos niños –le dijo–. Hace tiempo que no lo somos.

De vuelta en Inglaterra, no había podido resistir el deseo de ir a Grange para ver a Kat una vez más. Solo una mirada, se decía a sí mismo. Una mirada a la mujer que era ahora y después se marcharía.

Pero esa mirada había sido fatal para su determinación de irse de Hawden y todo lo que representaba para él.

Porque una sola mirada le había dicho que no podría alejarse de Katherine Charlton. Una sola mirada le había demostrado que seguía deseándola más de lo que había deseado a ninguna otra mujer en toda su vida.

Tenía que alejarse de ella antes de que el ansia

que sentía le impidiera pensar con la fría lógica que exigía la situación.

Había imaginado que seguiría siendo atractiva, por supuesto. ¿Cómo no iba a serlo? Incluso de niña llamaba la atención de todo el mundo.

Pero no había imaginado que se convertiría en tal belleza.

El tiempo había suavizado sus facciones, dándole un aspecto más femenino... y unas curvas que aceleraban su pulso. En esos diez años se había refinado, convirtiéndose en una criatura elegante, un pálido reflejo de la Kat a la que él había conocido.

Su largo cabello oscuro, que antes llevaba suelto sobre los hombros, ahora estaba sujeto en una elegante coleta que se agitaba cuando movía la cabeza. Su rostro era más delgado, los pómulos marcados bajo unos enormes ojos azules, más grandes que nunca, rodeados de largas pestañas.

Incluso con aquel sencillo vestido de algodón parecía la señora de la casa cuyo interior habían mirado una vez por las ventanas, fascinados.

–No, desde luego que no somos niños –asintió ella–. Dejamos eso atrás hace mucho tiempo.

Sus ojos se habían oscurecido y en ellos podía ver un brillo de rechazo. Y, sin embargo, eso no consiguió templar la atracción que sentía por ella. Heath la miró de arriba abajo, desde la barbilla levantada en un gesto de desafío a los pies, envueltos en delicadas sandalias azules.

–Tú ya no eres una niña, es cierto. Eres una señora.

El brillo de sus ojos le dijo que Kat había entendido que no lo decía como un halago. Ella debía saber bien lo que había detrás de sus palabras.

Porque solo él había sido excluido de la casa Grange, recordó con amargura. A Kat nunca le habían prohibido la entrada en la que los vecinos del pueblo llamaban «la gran casa».

La noche que los perros guardianes de Grange los oyeron entrar en el jardín y mordieron a Kat en un tobillo, los Charlton la habían llevado en brazos al interior de la casa para curar sus heridas mientras a él lo habían echado a golpes, como si fuera un perro lleno de pulgas.

Y cuando volvió a High Farm, Joseph lo había pegado con una fusta por atreverse a entrar en la finca de su aristocrático vecino.

Ese fue el final de su amistad con Kat. Una vez que experimentó el lujo y los placeres de ser recibida en la casa Grange, no volvió a tratarlo de la misma forma. Se parecía más a su hermano que a la chica de cuyo afecto él dependía para respirar.

Y ahora allí estaba, reservada, distante, sus fríos ojos azules diciéndole que era un intruso en su elegante mundo.

Pero él era algo más que un intruso y un día, pronto, Kat descubriría que la situación había cambiado por completo.

–He crecido –dijo ella–. Imagino que los dos lo hemos hecho.

Sí, había crecido, desde luego. Había crecido, alejándose de él más que nunca; a tierna amistad de su infancia muerta para siempre. Si en verdad habían sido amigos alguna vez.

Años atrás, había deseado a aquella mujer con el corazón solitario de un niño abandonado, pero Kat le había dado la espalda, eligiendo en cambio a un hombre con dinero y posición.

Heath ya no era ese niño solitario que luchaba contra el resto del mundo y los sentimientos que despertaba en él no tenían nada que ver con la niñez, sino con la urgencia de un hombre maduro. Un hombre endurecido por la experiencia.

Un hombre que deseaba a la mujer que tenía delante con un ansia que había ido creciendo en su interior durante diez largos años, incluso cuando intentaba negarse a sí mismo que así fuera.

Incluso cuando se juraba a sí mismo que solo la vería una vez más, antes de darse la vuelta para siempre.

Había creído que podía hacerlo, pero eso fue antes de ver a la mujer en la que Kat se había convertido. Una mujer que en unos segundos había despertado en él un deseo que no desaparecería fácilmente ni era capaz de controlar.

Había vuelto a Hawden para vengarse de su hermano y de su marido, que había escapado de esa venganza muriendo inesperadamente. Pero la verdad era que había dejado algo a medias con lady Charlton.

–Ha pasado mucho tiempo desde la última vez que nos vimos –le dijo–. La situación ya no es la misma.

–No, desde luego que no.

Kat tragó saliva, incómoda. No sabía cómo comportarse delante de aquel hombre que ya no era Heath. Desde luego, no el Heath que ella había conocido.

No estaba lidiando con el chico de su infancia. La frialdad de sus ojos y las arruguitas alrededor de su boca contaban su propia historia.

–No mereces una bienvenida después de diez años de silencio. Imagino que no habrás vuelto a pensar en mí en todo ese tiempo.

–Más de lo que tú has pensado en mí, *señorita Katherine*.

Estaba burlándose de la manera en la que su hermano había exigido que se dirigiese a ella. Aquel Heath, aquel hombre que parecía haber tenido éxito en la vida, jamás la llamaría «señorita Katherine» por deferencia. Aquel hombre miraba al mundo a los ojos y su tono sarcástico pretendía ser un insulto.

–O tal vez debería llamarte lady Charlton.

–Es mi título.

El nerviosismo hacía que hablase con un tono frío y distante que en realidad no pretendía; un tono parecido al de Arthur Charlton. Claro que era una copia del tono que Heath estaba usando.

Si no había vuelto como amigo, solo podía haber vuelto como enemigo y Kat se daba cuenta de que debía tener cuidado con aquel extraño. Había prosperado, eso era evidente, ¿pero prosperado en qué campo?

–Entonces sabes que me casé con Arthur.

Y podía imaginar cómo lo habría interpretado. Pero Heath no sabía nada de su vida desde que se marchó de Hawden. Ni idea del hueco que dejó su ausencia y cómo ella había intentado llenarlo.

Heath asintió con la cabeza, su rostro como tallado en piedra, sus ojos opacos, sin revelar nada.

–Me enteré de ello y decidí que un día vendría a darte la enhorabuena. No imaginé que tu marido te dejaría viuda antes de que pudiese hacerlo y que esa enhorabuena se convertiría en un pésame.

–La muerte de Arthur ha sido una sorpresa para todos.

¿Qué más podía decir? Era la verdad. Y la amable ficción tras la que se había refugiado desde el día en que la policía llegó a Grange para darle la sorprendente noticia.

Aunque la verdad era que ella había escondido al mundo la realidad de su matrimonio durante mucho tiempo. Tanto que el instinto de ocultar lo que había tras las elegantes puertas de «la gran casa» se había convertido en una segunda naturaleza para ella. Una posición instintiva de defensa que la protegía de cosas peores.

A eso la había reducido su matrimonio con Arthur. El matrimonio que todo el pueblo había considerado la boda de la década, pero que pronto había demostrado ser una amarga mentira de principio a fin. El matrimonio del que ella había esperado alejarse cuando la muerte de Arthur la sorprendió.

–Y su muerte ha cambiado las cosas.

–¿Ah, sí? ¿En qué sentido?

Pero Heath no respondió a su pregunta, moviéndose por el salón de esa manera que le recordaba a un predador. Se detuvo frente a los ventanales, fingiendo un gran interés por el jardín, la piscina y más allá el prado donde las ovejas pastaban alegremente a pesar de la lluvia.

Kat podía ver la cicatriz en su mejilla y el recuerdo de quién se la había hecho y cómo le encogió el corazón. Era la marca de una herradura que su hermano Joseph había lanzado deliberadamente a su cara en uno de sus irracionales ataques de furia.

Heath le había ganado en un campeonato local de saltos con un caballo que le había prestado su padre y, como era de esperar, Joe había pagado su furia y sus celos en un acto de violencia que la había dejado horrorizada.

¿Habría ido Heath a ver a su hermano antes de visitarla a ella?, se preguntó.

Ese «había decidido que un día vendría a darte la enhorabuena» implicaba que llevaba algún tiempo preparando aquella visita. Si hubiera vuelto antes, ¿las cosas habrían sido diferentes?

Entonces revivió un amargo recuerdo... se veía a sí misma llegando a la iglesia del pueblo el día de su boda, cuatro años antes. El organista había empezado a tocar *La Marcha Nupcial,* pero durante unos segundos Kat se había detenido para mirar alrededor, buscando una cara familiar, permitiéndose a sí misma un momento de...

¿De qué?

¿De esperanza?

Pero, por supuesto, Heath no estaba allí. Su hermano y Arthur lo habían tratado como a un animal tras la muerte de su padre y era lógico que no quisiera estar allí para ser testigo de la unión de las dos familias.

Heath había sido el único que le advirtió contra la familia Charlton y si le hubiera hecho caso se habría ahorrado mucho dolor.

–¿En qué sentido ha cambiado las cosas? –repitió Kat.

–¿No es evidente? Ahora todo esto es tuyo –respondió él–. La señorita Kat ha conseguido todo lo que quería: la gran casa, el estatus social, el estilo de vida elegante...

Todo lo que decía la hacía revivir la última vez que se vieron y la furia que había en él entonces. Y más tarde, su rechazo. Pero la amargura de saber lo lejos que estaba de «todo lo que quería» hizo que lo mirase con rencor.

–No todo lo que quería, te lo aseguro.

Si él supiera que su matrimonio con Arthur nunca había sido un matrimonio de verdad. Que el hombre que se había mostrado tan encantador, tan ingenioso y atento con ella cuando era una adolescente, ayudándola a olvidar el espacio vacío que había dejado la ausencia de Heath, se convirtió en un mezquino y malicioso tirano casi desde el momento en que puso la alianza en su dedo el día que cumplió veintiún años. Que la enorme casa se había convertido en una prisión para ella, el elegante estilo de vida una mentira.

–Mi marido ha muerto, no lo olvides.

–Lo sé, pero no es una gran pérdida. Aunque yo había venido para ver a tu marido.

–¿Para qué querías ver a Arthur?

–Tenía que hablar con él de... negocios.

El énfasis en la palabra «negocios» hizo que Kat sintiera un escalofrío. Tantas reuniones de negocios habían dado como resultado malas noticias.

–¿Qué tipo de negocios?

–Ahora ya es irrelevante.

–No creo que Arthur hiciese negocios contigo –dijo Kat–. Nunca me habló de ti.

–¿Tu marido hablaba de negocios contigo?

¿Había algo oculto tras esa pregunta?

–No, la verdad es que no.

Arthur no hablaba con ella de nada, en realidad. Daba órdenes, insistía en mantener las apariencias, pero unas semanas después de su boda Kat había descubierto que Arthur no quería una esposa, sino un trofeo. Quería una mujer que luciera las famosas joyas de los Charlton en las fiestas de sociedad, que eran lo único importante para él.

Por supuesto, ahora sabía por qué esas fiestas eran tan importantes para Arthur, la imagen que necesitaba dar ante el mundo para esconder la realidad. Arthur Charlton nunca había querido una esposa y su matrimonio era tan falso como las joyas que llevaba, simples falsificaciones. Las originales habían sido vendidas años atrás.

–Arthur no era así.

–Ya me lo imaginaba.

¿Qué tipo de contacto habría tenido Heath con su difunto marido?

Estaba a punto de hacer la pregunta, pero se detuvo al escuchar pasos en el vestíbulo. Y sabiendo quién era, supo también que no podía seguir hablando de ese asunto.

Capítulo 2

LA PUERTA se abrió y su esbelta y rubia cuñada entró en el salón. Isobel debía de haber ido a la ciudad de compras, como solía hacer, porque llevaba en las manos media docena de bolsas, en su rostro el gesto de satisfacción de alguien que acababa de hacer uso de sus tarjetas de crédito.

Kat suspiró al pensar que tendría que hablar con ella sobre su situación económica. Evidentemente, su cuñada no entendía la gravedad de la situación y, francamente, ella no entendía cómo era posible que pudiera seguir comprando a crédito. Sus tarjetas pronto serían canceladas y cuando los acreedores se dieran cuenta de la situación empezarían a llegar las demandas judiciales.

Pero eso era algo en lo que no quería pensar delante de Heath. Isobel se parecía tanto a Arthur en su determinación de no escuchar a nadie...

Kat intentó permanecer calmada, incluso sonrió mientras por dentro se la llevaban los demonios.

–¡Lo he pasado de maravilla! –exclamó su cuñada–. Ha llegado la nueva colección de verano a

Lacey's y tenían unas cosas preciosas... –Isobel se quedó callada al ver al alto extraño frente a la ventana–. Ah, hola, no le había visto –dijo entonces con una sonrisa.

Y a Kat se le encogió el corazón porque reconocía esa sonrisa. Isobel había visto algo que le gustaba, eso era evidente.

Aunque no debería sorprenderla. Comparado con los chicos con los que su cuñada solía salir, Heath era un hombre de verdad que parecía llenar la habitación y cuando sonrió...

Dios santo, cuando sonrió su rostro se transformó por completo, tuvo que admitir Kat, sintiendo que se le encogía el estómago como si estuviera en un barco sacudido por las olas. Era la primera vez que sonreía desde que llegó.

–Hola, Isobel.

Su acento era más marcado ahora y eso lo hacía más exótico, más extraño.

–¿Me conoces? –preguntó su cuñada, con una sonrisa provocativa.

–Por supuesto que sí. Eres la pequeña Isobel, convertida en una mujer.

–¿Y tú quién eres?

Su cuñada pestañeaba, coqueta, y Kat apretó los labios al ver que Heath sonreía de nuevo.

Pero más sorprendente fue aceptar que su reacción no era de desagrado, sino todo lo contrario. Cuando Heath sonreía tenía un aspecto tan diferente, tan devastadoramente sexy, que al mirarlo sentía como una descarga eléctrica.

En sus recuerdos, donde había intentando enterrarlo tantos años atrás, podía escuchar el eco de la voz de Arthur: «Sigues soñando con ese mendigo, eso es lo que te excita».

–¿No reconoces a Heath? –intervino entonces para olvidar esos recuerdos.

–¿Heath? –repitió Isobel–. ¿Heath qué?

¿Heath qué? Kat no sabía cómo responder a esa pregunta.

–Heath Montanha –respondió él, sin dejar de mirar a Isobel.

Y era lógico. La niña de once años que era cuando se marchó de allí se había convertido en una mujer rubia, voluptuosa y sensual a cuyo lado Kat siempre se sentía demasiado alta y delgada, como cuando era un chicazo que no pegaba en ningún sitio...

En ningún sitio salvo con Heath.

Heath nunca había necesitado pegar en ningún sitio. Se reía de las chicas que usaban bonitos vestidos y le daba la espalda a las convenciones.

Había sido su deseo de encontrar la feminidad que le faltaba lo que la había atraído hacia los Charlton. Y lo que la había llevado a «la boda de la década» con la que iba a conseguir todo lo que supuestamente había deseado.

Una boda de ensueño que había abierto la puerta a una pesadilla privada.

–¿Heath Montanha?

No Heath Nicholls, pensó Kat. Bueno, era lógico. Lo que Heath quería cuando se marchó de allí era descartar el apellido de la familia a la que nunca había pertenecido en realidad.

–Qué apellido tan exótico –dijo Isobel–. ¿De qué nacionalidad es?

–Brasileño.

–¿Te fuiste a Brasil? –exclamó Kat–. ¿Por qué?

–¿Por qué no? –respondió él–. Después de todo, eras tú quien decía que mi padre podría haber sido un emperador de China.

El recuerdo de esas conversaciones infantiles en las que creaban una familia imaginaria para Heath la emocionó. Siempre inventaba para él un pasado rico y poderoso que le permitiese enfrentarse con la tiranía de Joseph y Arthur.

Entonces estaban del mismo lado y Kat había creído que nada podría separarlos...

–¿Te acuerdas de eso?

–Sí, me acuerdo –respondió Heath, con un énfasis que la hizo temblar.

¿Qué más cosas recordaría? Y, sobre todo, ¿cómo las recordaba?

–Me encantaría ir a Brasil –intervino Isobel, decidida a llamar la atención de Heath.

Aunque no tenía que hacer un gran esfuerzo; los hombres se sentían atraídos por su cuñada como nunca se habían sentido atraídos por ella. Hombres como Heath.

Su marido nunca la había mirado de esa forma, ni siquiera el día de su boda. En cuanto se quedaron solos empezó a criticar su aspecto e intentó cambiarla de arriba abajo. Y solo mucho más tarde entendió por qué había querido hacerlo.

–Río de Janeiro, el sol, el mar, la samba... –Isobel movía su voluptuoso cuerpo al ritmo de una música imaginaria–. ¿No crees que deberías ofrecerle un refresco, Kat?

–Estaba a punto de hacerlo.

No era cierto y cuando miró a Heath se dio cuenta de que él lo sabía. Que su cuñada la regañase por no ofrecerle hospitalidad al chico al que una vez habían echado de aquella casa a patadas hizo que algo se encogiese dentro de ella. Y no tenía la menor duda de que él se daba cuenta.

Una vez se había prometido a sí misma que, si alguna vez se encontraba en una buena posición económica, recibiría a Heath con los brazos abiertos. Ahora estaba en esa posición, pero habían ocurrido demasiadas cosas entre ellos.

–Tal vez te apetezca un té. Llamaré a Ellen para que lo prepare.

Heath hizo una mueca y ella entendió por qué. Le estaba ofreciendo té como si fuera su suegra y no una joven de veinticinco años. Aunque la verdad era que no se había sentido joven en mucho tiempo. Cuatro años exactamente.

–¿Té? –repitió él–. Qué inglés.

–Bueno, es que lo soy –se defendió Kat.

–Mientras yo no soy más que un mendigo sin nacionalidad, ¿verdad?

Había un claro reto en sus ojos negros, tan brillantes como carbones encendidos. Un reto y una burla que erizó el vello de su nuca.

–No quería decir eso y tú lo sabes.

–¿Por qué no? Es la verdad. Nadie sabe de dónde vengo.

Kat recordó entonces cómo habían especulado sobre la familia de Heath, sobre los exóticos ancestros que habían creado ese oscuro y dramático aspecto.

–¿Has descubierto quién es tu familia?

–Sí, lo he hecho. Y a tu marido le habría gustado saber que está tan lejos de su aristocrática familia como él siempre había creído.

No pensaba contar nada más, era evidente. Y eso ampliaba más la distancia entre ellos porque una vez Heath se lo habría contado todo...

–¿Vamos a tomar un té o no? –preguntó Isobel, impaciente.

–Tal vez no –respondió él–. Lo siento, pero tengo negocios que atender.

Estaba tomando su impermeable mientras hablaba, echándolo sobre su hombro como una capa. Era la segunda vez que mencionaba los negocios, sin dar más explicaciones.

Temiendo que volviera a desaparecer de su vida como había hecho diez años antes y que esta vez no volviese nunca, Kat corrió a su lado.

–Heath, espera... no has dicho para qué has venido o qué haces aquí.

–¿Por qué he venido a la casa Grange? La respuesta debería ser evidente.

–No, no lo es –respondió ella.

Heath esbozó una sonrisa cínica.

–He venido a verte, *lady Katherine* –respondió, sus palabras como un jarro de agua fría–. Para mirarte una vez más antes de marcharme... esta vez para siempre.

Capítulo 3

ESE HABÍA sido el plan, pensaba Heath. Se había dicho a sí mismo que solo quería ver en qué se había convertido antes de marcharse. Sacudiría el polvo de Grange de sus zapatos y volvería a su vida, a la vida que se había creado... una vida de éxito y poder, tan diferente a la que había soportado allí, en los páramos de Yorkshire.

Si el marido de Kat siguiera vivo, podría haberse quedado para tener la satisfacción de completar su venganza. Habría disfrutado viendo cómo Arthur Charlton y Joe Nicholls caían hasta lo más bajo, donde él había estado una vez.

Nicholls ya sabía por qué estaba allí, sabía que lo había perdido todo y, hasta ese momento, Heath había pensado que era suficiente.

Pero eso fue antes de ver a la mujer en la que Katherine se había convertido. Una mujer que aceleraba su pulso.

Y supo entonces que no podía marcharse como no podía arrancarse el corazón y echarlo a sus pies, algo que había pensado hacer más de una vez cuando era un crío.

Creía haberla olvidado, pero estaba engañándose

a sí mismo. No había olvidado a Kat. Era imposible olvidar la pasión que sentía por ella, que siempre había sentido por ella, cuando el deseo se lo comía por dentro solo con saber que Katherine Nicholls existía.

Si una vez la había deseado cuando era una adolescente, antes de que se convirtiera en una mujer, ahora sentía que se moriría si no la hacía suya. Si no conocía la satisfacción de hacerle el amor, de sentir su precioso cuerpo bajo el suyo, abriéndose para él, oyéndola gritar de placer mientras llegaba al clímax...

Y llegaría al clímax, no tenía la menor duda sobre eso.

No lo habría mirado como lo hizo cuando entró en el salón si entre ellos no hubiese una profunda conexión al nivel más básico y primitivo. Había visto deseo en sus ojos azules, las pupilas tan dilatadas que oscurecían casi por completo el iris.

Y entonces había sabido que no podía seguir adelante con su plan de marcharse. La deseaba demasiado. Pero sobre todo, quería que Kat lo desease tanto como él y que lo reconociera públicamente. Solo entonces la herida que le había hecho podría curar.

«¿Gustarme Heath? Lo dirás de broma», le había dicho una vez a Arthur Charlton. Y el tono desdeñoso seguía quemando como el ácido en su recuerdo.

«Por favor, míralo, sin dinero, sin trabajo, sin clase. Puede que mi familia esté pasando por un mal momento, pero aún tenemos orgullo. ¿Cómo iba a gustarme Heath?».

Había vuelto buscando venganza, pero esa *vendetta* era contra su hermano y su marido. La ruina económica que aún no había revelado le había proporcionado una gran satisfacción, pero aquello era personal. Aquello podía darle una satisfacción totalmente diferente, sensual, carnal. Una que ya hacía que se excitase de anticipación.

–Ya te marchaste una vez –dijo Kat entonces–. Y cuando te fuiste pensé que no volverías nunca.

–Pero he vuelto, aunque si tuviera un poco de sentido común no lo habría hecho.

Era cierto. Había querido cortar toda conexión con Hawden y con la vida que había tenido allí, pero el destino había intervenido a su favor. Los sucios trucos que Charlton y Nicholls habían intentado hacer en una de sus empresas, sin saber que era suya, lo habían hecho revivir amargos recuerdos. Y de una vez por todas debía lidiar con los dos hombres que habían convertido su vida en un infierno.

Pero se había tomado su tiempo, haciendo planes, preparando su venganza. Y en ese tiempo, Arthur Charlton había muerto víctima de un estilo de vida decadente y sórdido, de modo que solo quedaba Nicholls.

Pero no había esperado que Kat pudiese ejercer aquel efecto devastador en él. Que con una sola mirada hiciera imposible apartarse.

–Pero otros asuntos me han traído a Hawden...

–¿Qué otros asuntos?

Heath sonrió.

–Tengo cuentas que saldar, como tú sabes muy bien.

Lo único que tenía que hacer era decirle por qué estaba allí, revelar las cartas que escondía en la manga. Todo estaba sellado y firmado de tal modo que no había ninguna posibilidad de que un solo objeto de la casa o de la finca escapase de sus manos. Tenía a los Charlton y a los Nicholls exactamente donde quería tenerlos y lo único que tenía que hacer era reclamar sus deudas...

¿Pero dónde estaba la satisfacción de usar eso contra Kat? ¿Qué clase de gratificación podía obtener reclamando una deuda cuando podía hacer las cosas con mucha más sutileza y de manera mucho más placentera?

No, por el momento no quería que supiera por qué estaba allí.

Joe y Arthur lo habían maltratado y humillado; la traición de Kat, su rechazo, había sido algo diferente. Una traición del corazón, del alma. Y él le demostraría lo que era que te pisotearan el corazón.

Haría que lo deseara como la había deseado él. Después de todo, si se enamoraba de él ahora, sería por su dinero y su posición. Antes no había querido saber nada del mendigo.

Pero no quería chantajearla para que se acostase con él. Necesitaba que fuera a su cama por voluntad propia, porque no pudiese evitarlo.

Como él no podía evitar lo que sentía por Kat.

Sabía que sus sentimientos por él no habían

muerto del todo, podía verlo en sus ojos. No iba a admitirlo, pero lo admitiría antes de que se marchase de Hawden. Lo admitiría y le suplicaría que la hiciera suya.

El joven que había sido la habría abrazado sin pararse a pensar... pero él ya no era ese joven. El tiempo y la experiencia le habían enseñado que lo más inteligente era esconder los sentimientos. Una vez le había dicho a aquella mujer lo que sentía por ella y Kat se había reído en su cara. No pensaba arriesgarse a eso otra vez.

–Cuentas que saldar –repitió ella, dando un paso atrás, mentalmente al menos porque físicamente no se había movido–. ¿Cuentas con quién?

Pero ella sabía la respuesta. Si había vuelto a «saldar cuentas», tenía que ser con los dos hombres que tanto daño le habían hecho en el pasado.

¿Pero hasta dónde pensaba llevar su venganza? ¿A quién incluía en ella?

De nuevo, Heath esbozó una sonrisa cruel.

–¿Tienes que preguntar? Tu hermano y ese marido tuyo, si estuviera vivo.

–¿Y yo?

–Ya te lo he dicho, solo quería verte una vez más.

–Pues ya me has visto... ¿qué piensas hacer ahora?

Kat no sabía cuál quería que fuese la respuesta, pero la sonrisa de Heath era una mueca despojada de civismo o amabilidad. Bajo esa capa de sofisticación seguía estando la criatura salvaje a la que había conocido una vez. La criatura peligrosa y salvaje que no daba explicaciones a nadie.

–Ya te lo he dicho, me marcho. Tendrás que perdonarme, pero no puedo quedarme a tomar el té.

–¿No piensas volver? –insistió Kat.

La idea de perderlo de nuevo le rompía el corazón.

–Eso depende.

–¿De qué?

–De ti.

–¿Qué tengo yo que ver?

El impaciente gesto que hizo con la cabeza le dijo cuánto lo irritaba la pregunta.

–¿Me darías la bienvenida a tu casa?

Cuánto le gustaría poder responder con sinceridad, pensó Kat. Cuánto le gustaría que siguiera siendo el Heath al que había conocido una vez. Pero aquel no era el Heath de antaño y ella ya no era una niña.

–Ya me lo imaginaba –dijo él entonces.

Había vacilado durante unos segundos y esos fríos ojos negros habían visto su indecisión. ¿Pero cómo podía explicarle que al mirarlo experimentaba una emoción muy diferente a la que había experimentado cuando era una niña?

Ahora, cuando lo miraba, cuando veía esa mueca y ese brillo cruel en sus ojos negros experimentaba...

Miedo.

Miedo era lo que sentía. Una premonición que le advertía que estaba allí para destrozar su vida.

–Te dejo para que tomes el té con Isobel.

Heath se dio la vuelta, pero Kat no podía dejarlo ir así.

–Espera...

De repente, varias cosas ocurrieron a la vez y no registró ninguna de ellas hasta que era demasiado tarde.

Había salido del salón para seguirlo hasta el vestíbulo cuando tropezó y se vio lanzada hacia delante, al mismo tiempo que Heath se daba la vuelta... y cuando estaba a punto de caer al suelo, él la sujetó con unos brazos de hierro, sus pechos aplastados contra el torso masculino. Solo la fuerza de sus brazos la mantenía en pie mientras intentaba recordar dónde estaba, medio mareada por el aroma de su piel.

Sintió que Heath se ponía tenso, que se distanciaba. Y notó que ella hacía lo mismo, sorprendida.

Y en ese mismo instante experimentó una terrible sensación de peligro mezclada con la impresión, más extraña aún, de haber vuelto atrás en el pasado, de estar de nuevo en High Farm.

La indecisión la dejó inmóvil, incapaz de pensar, apenas capaz de respirar.

Pero entonces Heath pasó una mano por su brazo, el calor de su piel llevándose aquella momentánea desorientación. La tensión se esfumó y su corazón se detuvo durante una décima de segundo.

–Kat...

Oyó la voz de Heath sobre su cabeza, el cálido

aliento masculino moviendo su pelo, y esbozó una sonrisa. Tal vez se había equivocado con él, pensó.

–Katherine...

Le parecía escuchar su voz como si llegara de muy lejos, una voz ronca y profunda con un inesperado acento extranjero. Una voz que conocía y que, sin embargo, no había escuchado antes.

¿De verdad era Heath? ¿Era aquel su amigo de la infancia, su compañero de aventuras? Aquel hombre se parecía a él, pero era un Heath con los ojos fríos y no desafiantes como en el pasado.

–Heath...

Era como si no hubiese pronunciado nunca ese nombre, como si hablase con un extraño, un hombre que la excitaba como no se había excitado jamás.

Podía ver las arruguitas que el tiempo había dejado en su rostro, la sombra de barba, los cabellos grises en sus sienes.

Desde aquel ángulo, la cicatriz que Joe le había infligido era una marca blanca en el rostro bronceado que había llevado con él desde Brasil.

Pero entonces algo cambió. No podría explicar qué era, solo sabía que era como si el aire que respiraba estuviese cargado de electricidad.

–Yo... –Kat intentó hablar, pero no sabía qué decir.

Heath hizo una mueca y, un segundo después, sintió que agarraba sus brazos con fuerza antes de apretarla contra su torso para apoderarse de su boca.

El mundo empezó a dar vueltas y sentía como si

estuviera perdiendo la cabeza. Como si fuera una experiencia extracorpórea.

Heath nunca la había besado en los labios. Solo en la mejilla y una vez, torpemente, en el pelo. Su amistad nunca había incluido caricias o besos apasionados. Pero nunca la habían besado así y no sabía que pudiera sentir lo que estaba sintiendo.

Aquello era algo que no había experimentado nunca. Aquel calor, aquel deseo...

¿Deseo sexual?

¿Esa quemazón en la boca del estómago que se extendía por todo su cuerpo como un incendio era deseo sexual por Heath?

¿Era aquello lo que una mujer debía experimentar por un hombre? ¿Era aquello lo que se había perdido en su matrimonio? ¿Habría tenido Arthur razón?

Esa idea la sorprendió, incluso la asustó. Su mente parecía dividirse entre el deseo de dejarse llevar por aquello y el deseo de apartarse y poner la mayor distancia posible entre ellos.

–Heath...

Murmuró su nombre como una protesta, pero el sonido ronco de su voz solo sirvió para aumentar las sensaciones eróticas que estaba experimentando...

Y entonces Heath la besó de nuevo, abriendo sus labios para atormentarla con su lengua.

No era lo que ella quería y, sin embargo, era lo que necesitaba. Intentó apartarse, pero Heath no la dejó. Y aquella vez el beso fue diferente. Si el primero había sido un beso de conquistador, un beso dominante, el segundo era sorprendentemente suave, un beso de seducción, de tentación. Tan lento, sensual y provocativo que hacía que se derritiera contra su pecho... y estaban tan cerca que podía sentir el calor y la fuerza de su cuerpo bajo la ropa.

Ropa elegante y de buena calidad que Heath no había llevado nunca. Esa ropa pertenecía a otro hombre; un hombre diferente a su amigo de la infancia y que la hacía temblar. No conocía a aquel hombre y, sin embargo, le resultaba increíblemente familiar.

Estaba tan cerca que podía notar su reacción, la evidencia de su deseo apretada contra su pelvis.

–¡Kat! –escuchó la impaciente voz de Isobel desde el salón–. ¿Se puede saber qué estás haciendo?

La sorpresa dejó a Kat inmóvil, su boca cautiva de la boca de Heath.

Sintió entonces que también él volvía al presente con cierto sobresalto; el cuerpo que un segundo antes había estado apretado contra el suyo como si estuvieran intentando mezclarse el uno con el otro, no dos espíritus, sino uno solo, apartándose de repente.

Durante unos segundos, el mundo pareció quedar en suspenso, desenfocado. Pero cuando Isobel volvió a hablar, su tono era más petulante que descontento:

–Kat, necesito ese té.

Como a distancia, escuchó la risa cínica de Heath

y aquello que la había mantenido cautiva se rompió de repente.

Él dio un paso atrás para dejarla en el suelo. Solo entonces se dio cuenta de que la había tenido en brazos durante todo ese tiempo, sus pies apenas rozando el suelo.

Con ese gesto había vuelto a dejarla en su mundo, pero su mundo ya no era el mismo de antes. Era un sitio que estaba patas arriba y Kat sabía que nunca volvería a ser el mismo.

¿Qué le estaba pasando? ¿Quién era la mujer que se había encendido de ese modo en los brazos de Heath? No podía ser ella.

Sin pensar, se llevó una mano al pelo para intentar darle una semblanza de orden. La cinta que sujetaba su coleta se había soltado y estaba en el suelo, su vestido arrugado...

Él esperaba, silencioso y oscuro, mientras Kat intentaba volver a ser quien había sido unos segundos antes. Hasta que no encontró nada más que distrajese su atención y se vio obligada a mirarlo.

Heath había esbozado una media sonrisa, una mueca de triunfo en realidad; la mueca de un predador que tenía una presa delante, a una distancia lo bastante corta como para lanzarse sobre ella.

«Tengo cuentas que saldar».

Esa frase le había parecido siniestra antes y ahora le parecía infinitamente más peligrosa.

¿Cómo podía haber dejado que ocurriese aquello? Con Heath. El Heath que había vuelto a Hawden a saldar cuentas. ¿Sería ese beso parte de su venganza?, se preguntó. Pero no podía haber fingido su reacción al tenerla entre sus brazos...

Kat sentía como si una garra apretase su corazón. ¿Cómo era posible que hubiera descubierto lo que era ser una mujer en los brazos de Heath? Un hombre en el que no podía confiar como no debería haber confiado en su marido.

–Si supieras cuánto tiempo he esperado para esto –la voz de Heath, ronca, oscura y tan inesperada después de tan largo silencio, hizo que Kat diese un respingo–. He esperado durante años...

–Y seguirás esperando el mismo tiempo antes de volver a hacerlo –lo interrumpió ella, la sorpresa y el nerviosismo por lo que acababa de ocurrir dándole a su tono una sequedad que no había pretendido.

Si un segundo antes le había parecido como si volviera al pasado, como si aquello no fuese real, ahora sentía como si estuviera perdiendo el control. ¿Cómo podía Heath decir eso? No podía haber pensado en ella de esa forma cuando eran amigos... ¿o sí?

Imaginar a su antiguo amigo, su protector, pensando en ella de ese modo era inconcebible.

–¿Seguro, *lady Katherine*?

«Triunfo, predador, presa, cuentas que saldar».

–¿Estás intentando decir que no era esto lo que querías? ¿Que no lo has disfrutado...? Discúlpame.

Kat parpadeó ante el abrupto cambio de tono al final de la frase. Incluso su rostro cambió. La mueca desdeñosa había desaparecido y su expresión se volvió suave, cálida... incluso sonrió.

¿Estaba pidiéndole disculpas? Le parecía imposible...

Pero entonces vio que Heath no estaba mirándola a ella, sino a alguien detrás de ella.

Isobel, por supuesto.

–Te pido disculpas por hacerte esperar, Isobel. Pero lady Katherine y yo... teníamos que hablar un momento.

Estaba sonriendo, pero Kat se daba cuenta del control brutal que ejercía para dominar la tensión. Parecía mirar a su cuñada, pero su atención estaba fijada en ella. Y en esos ojos de ébano había un brillo cruel que le advertía que cada acción, cada expresión, estaba cuidadosamente calculada.

Heath no solía esconder sus sentimientos, al contrario. Tenía una sonrisa amplia que iluminaba su cara cuando era feliz... aunque no la había visto en los últimos meses que estuvieron juntos. Si estaba enfadado, el enfado se veía claramente en sus ojos y en la línea de su boca. El odio que sentía por su hermano y por Arthur era como una máscara que llevaba puesta perpetuamente. Heath llevaba el corazón en la cara...

Pero ahora, aparentemente, expresar una cosa mientras sentía la contraria le resultaba fácil.

–Os dejo para que toméis el té.

¿Cómo podía hacer que una frase tan inocua sonase tan potencialmente peligrosa? ¿Y cómo era capaz de pasar de la pasión que había mostrado unos segundos antes a esa expresión helada?

Ella seguía teniendo que hacer un esfuerzo sobrehumano para mostrarse serena.

–Si de verdad no puedes quedarte... –empezó a decir automáticamente. Después de tantos años intentando hacer lo que Arthur quería, lo que había insistido en que hiciera, le resultaba fácil.

–Me esperan en otro sitio.

–¿Te alojas en Hawden?

Su voz sonaba más ronca que antes. ¿Era esa voz la de una Kat a la que no conocía?

Heath negó con la cabeza.

–Me alojo en High Farm. Tu hermano me invitó cuando fui a verlo...

–¿En High Farm? –exclamó ella, atónita–. Joe no puede haberte invitado...

–Te aseguro que Joseph insistió en que me quedase allí.

–Pues no te envidio –intervino Isobel–. High Farm es una ruina desde que Kat se marchó de allí. Nadie cuida de la casa y estarías mucho más cómodo...

–Estoy segura de que Heath se las arreglará –la interrumpió Kat.

–Seguro que sí –asintió él, con deliberada ironía–. Después de todo, he estado en sitios peores.

El brillo de sus ojos la retaba a replicar, pero Kat no se atrevió.

Por supuesto que Heath había estado en sitios mucho peores. Desde que su padre murió, Joe no le dejaba estar en el interior en la casa y mucho menos dormir en una de las habitaciones.

Había un pequeño un cobertizo en la parte trasera de la casa, sin electricidad... Heath había tenido que instalarse allí tras el funeral de su padre.

Kat sintió una oleada de culpabilidad al recordar eso. A los quince años no había sido capaz de convencer a su hermano para que cambiase de opinión y siempre se había preguntado por qué lo soportaba Heath, por qué no se había marchado entonces.

–Pero tu hermano me ha recibido de manera muy diferente esta vez.

Después de decir eso se dio la vuelta para salir de la casa, dejando a Kat pensativa.

–¿De qué conoce a tu hermano? –preguntó Isobel.

–Heath solía vivir en High Farm. Trabajaba en los establos...

–¿El mendigo? ¿Ese era Heath?

Kat asintió con la cabeza, sin dejar de mirar la alta figura de Heath alejándose por el camino. Había visto que alteraba el paso al escuchar la pregunta de Isobel...

Una pregunta que le llevaba amargos recuerdos. Comentarios como ese habían sido algo habitual en el pasado, pero al ver al hombre en que se había convertido solo alguien muy temerario, o aquellos que no sabían la verdad, como Isobel, se atreverían a hacerlos.

«Cuentas que saldar».

Una vez más, esas palabras la hicieron temblar de aprensión. Solo había dos hombres a los que odiase lo suficiente como para volver a Hawden desde otro continente.

Su hermano y su marido.

Pero la muerte de Arthur había frustrado su venganza y ahora que se veía frustrado, ¿dónde se volvería para buscar satisfacción?

Kat se llevó una mano a los labios, aún doloridos después del apasionado beso.

¿Qué había significado ese beso que había despertado en ella unos sentimientos tan extraños? Heath, sin embargo, parecía inconmovible. Sí, se había excitado físicamente, pero sus emociones habían sido implacablemente suprimidas... si habían existido alguna vez.

–¿Entonces Heath ha vuelto? –preguntó Isobel–. Pensé que no lo haría nunca.

Kat había soñado muchas veces que volvía. Pero ese día había llegado por fin y no se parecía nada a sus sueños. El chico por el que había llorado, al que tanto anhelaba volver a ver, estaba allí de nuevo, pero no era el mismo.

El chico por el que había llorado no existía y el hombre en el que Heath se había convertido era una criatura tan oscura y peligrosa como un lobo de los páramos buscando una presa en la que clavar sus colmillos.

Y se dirigía a High Farm, donde decía que su hermano lo había invitado a alojarse.

«Cuentas que saldar».

Kat sintió un escalofrío de pánico que la hizo correr al teléfono para prevenir a Joe.

–Vamos, contesta –murmuró, golpeando impacientemente el suelo con el pie. Pero unos segundos después saltó el contestador–. Oh, Joe...

No podía dejarle un mensaje porque no podía poner en palabras los miedos que aquel encuentro le había hecho sentir.

–No sé por qué un hombre como Heath querría alojarse en High Farm –estaba diciendo Isobel–. Es una ruina. Nadie con un gramo de sentido común querría alojarse allí.

Su cuñada no podía saber los recuerdos que esas palabras despertaban en ella. Recuerdos de cómo se había usado la palabra «ruina» para definir High Farm cuando ella vivía allí de niña. Cuando no encontraba su sitio en el colegio y las otras chicas se reían de su aspecto de chicazo, de su falta de estilo, de su ropa usada. High Farm había sido una ruina entonces y años después la situación había empeorado.

Pero incluso viviendo en una ruina de casa había sido más feliz que ahora, o durante su matrimonio con Arthur, rodeada del lujo de los Charlton. Un lujo que, había descubierto demasiado tarde, escondía algo que jamás hubiera sospechado cuando entró allí por primera vez, cuando veía a los habitantes de Grange como personas tan diferentes a su familia. La vida le había parecido mucho más sencilla entonces.

Heath también le había parecido más sencillo.

Y le gustaría volver atrás en el tiempo. Le gustaría recuperar su antigua vida, antes de que su padre muriese. Cuando todo era feliz, limpio e inocente. Pero uno no podía volver atrás, no había manera de recobrar la inocencia.

Heath, su Heath, ya no existía, como no existía la chica que ella había sido. Esos años la habían cambiado para siempre.

Y pensando en lo que había sentido entre los brazos de Heath, el impacto de ese beso que aún la hacía temblar, Kat tuvo que preguntarse a sí misma si de verdad quería volver al tiempo en el que solo eran amigos. Cuando no había nada como aquello en su vida para excitarla, sorprenderla y sí, asustarla también.

De nuevo, se llevó una mano a los labios, sintiendo el calor de los labios de Heath sobre los suyos. Nunca había sentido nada así porque ella no sabía lo que era sentirse como una mujer.

Y sabía lo que había pasado: había reaccionado ante el hombre fuerte, poderoso y sexy en el que Heath se había convertido.

¿Pero qué había sentido él? ¿Qué había querido decirle con ese beso? ¿Había sido solo un gesto posesivo o el deseo sexual que había intuido en él quería decir algo más?

Sacudiendo la cabeza, Kat cortó la comunicación, sabiendo que no podría hablar con Joe. Tendría que ir a High Farm y descubrir por sí misma qué estaba pasando allí.

En el salón, el reloj de pared empezó a dar la hora. Apenas habían pasado sesenta minutos desde que Heath entró en Grange.

Sesenta minutos y las cosas habían cambiado de tal modo que no sabía cómo seguir adelante. Sin saber lo que sentía Heath, lo que estaba planeando, no podía imaginar qué papel haría en su futuro.

Capítulo 4

«HIGH Farm es una ruina».

Las palabras de Isobel se repetían en la cabeza de Kat al día siguiente, mientras caminaba por la carretera sin asfaltar que llevaba a su antigua casa. Y no podía negarlo, era cierto. La casa en la que había crecido ya estaba abandonada cuando era niña.

Su madre había muerto cuando tenía siete años y era difícil atender una casa tan grande con el dinero que su padre llevaba a casa, cuando lo llevaba.

Más tarde, la mujer de Joe se había instalado allí, pero Frances era una persona de salud delicada y su estado se agravó con el primer embarazo. No había mostrado interés alguno por mejorar la casa y, después del nacimiento de su hijo, la pobre había muerto de un problema de corazón.

Frances odiaba High Farm, pensó Kat. Se había casado con Joe creyéndolo un hombre acomodado y él la había llevado a aquella propiedad medio abandonada en el páramo....

Era lógico que hubiese querido buscar la compañía de los Charlton y se hubiera puesto del lado de Joe cuando decidió echar a Heath de la casa, tratándolo como a un mozo de cuadra. Necesitaban su habitación para el niño, le había dicho, y Heath había sido enviado a dormir en el cobertizo. A partir de entonces, solo podía entrar en la cocina a la hora de las comidas.

Al ver la casa, oscura y premonitoria frente a ella, Kat sintió un escalofrío y tuvo cerrarse la chaqueta como protección contra el viento. Construida en el siglo XIX, la fecha, 1875, grabada en el dintel de la entrada, High Farm había sido antaño una gran casa, la más importante del pueblo. Construida con la piedra gris de la zona, tenía unas ventanas muy estrechas protegidas por contraventanas de madera que ahora colgaban de sus goznes. Dentro, ella lo sabía bien, había poca luz. En realidad, daba la impresión de ser un edificio armado contra algún invasor.

Las chimeneas, una sobre la cocina y la otra en el salón, ya no se usaban, pero su padre solía encender la del salón el día de Navidad.

Sin chimeneas y con un anticuado sistema de calefacción, High Farm era un sitio helado y lleno de corrientes. Incluso los árboles del camino estaban permanentemente doblados por el viento.

¿Por qué habría decidido Heath alojarse allí cuando habría estado mucho más cómodo en el hostal del pueblo?

–¿Joe?

La casa estaba a oscuras y el silencio la asustó. Había pensado ir allí el día anterior para advertir a su hermano, pero en cuanto cortó la comunicación había llegado la abogada de Leeds y las malas noticias que llevaba con ella las tuvieron ocupadas durante varias horas. Y no se atrevía a ir a High Farm de noche y bajo la lluvia.

Joe tampoco había respondido al teléfono esa mañana y Kat, inquieta, había decidido ir a ver qué pasaba.

–¿Joe?

–¿Quién es?

Si el tono de voz no lo hubiera delatado, la forma en la que se levantó del sillón, tambaleándose, le confirmó lo que temía: su hermano había estado bebiendo otra vez.

–Ah, eres tú.

Su bienvenida, o la falta de ella, no animó nada a Kat mientras encendía la luz. Pero lamentó haberlo hecho porque ver a su hermano con más claridad solo servía para romperle el corazón. ¿Se habría acostado en la cama esa noche? Su ropa estaba muy arrugada.

–Joe, ¿qué te ha pasado?

–Él me ha pasado –respondió su hermano, sin molestarse en explicar quién era «él». Aunque Kat ya no necesitaba tal explicación.

–¿Quién?

–¿Quién crees tú?

Tambaleándose peligrosamente, Joe intentó agarrarse al brazo del sillón para no caer al suelo. Pero estaba claro que no podía dejarlo solo.

–Ven, siéntate.

Poniendo una mano en su espalda, Kat lo ayudó a sentarse de nuevo, haciendo una mueca al notar el olor a whisky que desprendía su aliento. Sabía desde hacía tiempo que Joe tenía un problema con la bebida, pero siempre se había negado a escuchar sus advertencias. Y aquel día estaba peor que nunca.

–Te dije que volvería... maldito sea. Heath Monta... ¿cómo dice llamarse ahora?

–¿Heath ha estado aquí?

Pero ella sabía que sí, el propio Heath le había dicho que iría a High Farm.

–Está aquí, por supuesto que está aquí. Ha vuelto el pájaro de mal agüero...

–Ah, sí –escucharon una voz tras ellos, la voz de Heath–. El pájaro ha vuelto al nido.

Joe miró al hombre que había entrado en la habitación murmurando una palabrota. Y Kat se volvió también para ver a un nuevo Heath, o a un Heath con una nueva imagen.

En camiseta y pantalones vaqueros debería haberse parecido más al antiguo Heath, el chico que solo poseía la ropa de trabajo que usaba en la granja. Entonces solo llevaba vaqueros y camisetas, pero nunca como aquellos. El inmaculado algodón blanco se pegaba a su torso marcando los pectorales, los anchos hombros y la estrecha cintura definida por un cinturón de cuero; la tela de los vaqueros envolviendo sus largas y poderosas piernas.

Aquel pantalón no se parecía nada a los vaqueros que solía llevar, siempre sucios y a menudo rasgados. Y el Heath que acababa de entrar jamás había llevado unas botas de piel brillante...

A pesar de la oscuridad en el interior de la casa,

conseguía tener un aspecto vibrante, saludable y poderoso. Tan sexy con ese bronceado, la esmeralda que brillaba en el lóbulo de su oreja dándole aspecto de pirata.

–Pero tal vez deberías recordar que el pájaro se marchó del nido hace tiempo y desde entonces se ha hecho más fuerte, tanto como para echar a los demás y reclamar el nido como suyo –dijo Heath entonces.

–Tú...

Kat se incorporó para mirar al oscuro intruso que acababa de entrar en la que antes había sido su casa.

–¿Estás diciendo que High Farm es tuya ahora?

Heath esbozó una sonrisa.

–Es un hecho.

–¿Cómo puedes decir eso?

–Es cierto –asintió Joe–. High Farm es suya ahora. Todo es suyo.

–Te dije que iba a alojarme aquí –le recordó Heath, metiendo las manos en los bolsillos de los vaqueros mientras se apoyaba en la pared.

–Dijiste que te alojarías aquí, pero no me dijiste que lo harías como propietario.

–¿Me habrías creído?

No, tuvo que admitir Kat. No lo habría creído.

Y, sin embargo, ¿por qué no? Que Heath Montanha fuese el propietario de la casa donde una vez había sido un sirviente, un simple peón, era más fácil que creer que Joe lo hubiese invitado a alojarse allí. Porque se odiaban, siempre se habían odiado.

Heath Nicholls, como se le conocía antes, no hubiera podido reclamar como suya una sola piedra de High Farm, pero Heath Montanha era un hombre muy diferente.

–¿Desde cuándo?

–Desde el mes pasado.

Heath no había movido un solo músculo, pero ella notó un casi imperceptible cambio en su actitud.

–¿Y no se te ocurrió decírmelo ayer, cuando fuiste a verme a Grange?

–Sí, lo pensé –admitió él–. Pero sabía que tarde o temprano descubrirías la verdad y pensé que sería mejor que te lo contase tu hermano...

–¡Mejor! –lo interrumpió ella–. ¿Mejor para quién? ¿Cómo iba a ser mejor que mi hermano me contase que te habías apropiado de la casa de mi familia? ¿Cómo lo has hecho?

Joseph nunca le había dicho que quisiera vender High Farm y lo habría hecho si la transacción fuese legal.

–En una partida de cartas.

Kat lo miró, incrédula.

–¿Una partida de cartas? –repitió, agarrándose al respaldo del sillón–. No, eso no puede ser...

Pero Joe estaba sacudiendo la cabeza, murmurando algo ininteligible.

–¿No crees que tu hermano sea tan degenerado como para entrar en un casino? ¿O crees que es un gran jugador de cartas?

–No sabía que pudiera ser tan tonto como para jugarse High Farm.

Kat cerró los ojos, angustiada.

–Maldita mano... –estaba diciendo Joe–. Solo necesitaba una buena carta...

–¿Toda la granja? –lo interrumpió Kat.

–Toda la granja –le confirmó Heath, con una sonrisa de satisfacción–. Aunque no vale mucho. Y aun así no ha pagado todo lo que me debe.

–¿Joe te debe dinero?

–No me encuentro bien... –empezó a decir su hermano–. Voy a...

Antes de que terminase la frase, Heath había levantado a Joe del sillón para llevarlo a la cocina. Cuando Kat se reunió con ellos, aún sin saber qué había pasado, su hermano estaba doblado sobre el fregadero, vomitando.

–Lo llevaré a la cama –murmuró cuando dejó de vomitar–. Siempre que siga teniendo una habitación aquí –añadió, mirando a Heath.

–La misma cama, la misma habitación... por ahora –asintió él–. Pero yo lo llevaré.

Mientras subía con ellos por la escalera, Kat se dio cuenta de que hacía mucho tiempo que no visitaba la casa. Cuando había estado allí no había subido al segundo piso y, al hacerlo, tuvo que enfrentarse con la ruina en la que High Farm se había convertido.

La habitación olía como si no hubiera sido aireada en meses, las sábanas estaban sucias... las cortinas colgaban del raíl, medio desgarradas.

Heath se acercó a la ventana para cerrarlas antes de dirigirse a la puerta.

–Tendrá que dormir la borrachera... y se sentirá fatal cuando despierte.

Kat estaba intentando quitarle los zapatos a su hermano cuando, de repente, Heath volvió con una botella de agua y un vaso que dejó sobre la mesilla.

–Si puede beber un poco, se le pasará antes.

Sorprendida por tan inesperada consideración, y con los ojos empañados, Kat no era capaz de desatar los cordones de los zapatos.

–Espera, lo haré yo.

Heath le quitó un zapato y cuando cayó al suelo, el ruido pareció un estruendo en medio del silencio.

–Gracias –murmuró Kat.

–Había pensado subir unos analgésicos con el agua, pero en el estado en el que se encuentra no creo que sea lo mejor. A saber cuántos podría tomar... y no tengo intención de encontrarme con un cadáver entre las manos.

–¿Ah, no? –replicó ella, dolida–. Pues odiándolo como lo odias, yo diría que eso es lo que quieres.

Ver a Joe en aquel estado y saber que High Farm pertenecía a Heath la ponía enferma...

Sin decir nada, él se dio la vuelta y salió de la habitación. Y Kat, sabiendo que había sido injusta, fue tras él, pero Heath bajaba los escalones de dos en dos...

–¡Espera!

No sabía si la había oído y en realidad no esperaba una respuesta, pero Heath se detuvo tan abruptamente que chocó contra su espalda y, al sentir el calor de su piel a través de la camiseta, su propia piel tembló como respuesta. Se le doblaban las piernas, sus huesos derritiéndose bajo una inesperada ola de calor.

–Espera... –repitió, sin saber muy bien qué quería decirle.

Heath la miraba con un brillo fiero en los ojos, pero Kat sabía que debía disculparse.

–Lo siento, de verdad.

Tendría que hacerla creer que aceptaba su disculpa, pensó Heath. Era la única forma de mantener el control. Porque era eso o tomarla entre sus brazos y apoderarse de su boca como había hecho el día anterior.

Y había jurado no volver a hacerlo.

Le hervía la sangre de tal modo que apenas podía pensar. Pero no lo haría. Aunque le doliese el cuerpo por el esfuerzo de no tomarla entre sus brazos. Aunque el aroma de su cuerpo, la mezcla de algún aromático perfume, el champú y la limpia fragancia de su piel, hicieran que se le quedara la boca seca. Apenas podía respirar y una niebla roja de deseo lo cegaba a todo lo que no fuese Kat y sus ojos azules.

Y esos labios rosados, ligeramente entreabiertos, que le gustaría capturar con los suyos, obligarlos a abrirse para la invasión de su lengua...

¡No! No iba a ir por ese camino, aunque su cuerpo se lo pidiera de la manera más primitiva. Podría saciar ese deseo, lo veía en sus ojos. Lo había sentido cuando la besó el día anterior, su primer beso después de diez años de ansia. Podría tenerla en aquel momento, besarla, hacerla suya contra la sucia pared de aquel pasillo desaliñado y estaría dispuesto a jurar que Kat no opondría resistencia alguna.

Y lo habría hecho una vez. En su juventud no lo habría pensado dos veces. Joven, salvaje y en celo como un animal, habría operado por instinto, dejándose llevar por la pasión. Nunca se había contenido cuando una mujer se le ofrecía... y había habido muchas. Pero Katherine Nicholls era otra cuestión.

Lady Katherine Charlton era otra cuestión.

La mujer que lo miraba como si sus manos pudieran ensuciarla, sus besos manchar su boca. La mujer cuyos ojos azules se convertían en zafiros mientras luchaba contra un deseo que no quería sentir.

Había sentido ese deseo en el beso del día anterior, en los gemidos que escapaban de su garganta, en cómo su cuerpo se derretía contra el suyo. Y no la había tocado, pero un día lo haría. Un día dejaría su orgullo e iría a buscarlo. Un día suplicaría sus caricias.

Si había aprendido algo en esos años, era que ya no tenía que robar nada o exigirlo con la rabia de la juventud. Había aprendido a hacer planes, a analizar y preparar una situación para conseguir el objetivo que buscaba. Y entonces todo lo que tenía que hacer era esperar tranquilamente. La espera y la anticipación servían para que conseguir el objetivo fuera más delicioso, más satisfactorio.

Podía esperar. Y disfrutar de la anticipación.

–Da igual lo que piense tu hermano, yo no soy una bestia –le dijo con voz helada.

–Lo sé –asintió Kat–. No debería haber dicho eso, sé que no es cierto.

–Tal vez lo haya pensado alguna vez –admitió Heath–. He deseado su muerte muchas veces, pero desde que me marché de Hawden he aprendido muchas cosas y una de ellas es que es cierto eso que dicen de que la venganza se sirve en plato frío. Es más satisfactorio.

Sus palabras eran tan malvadas que Kat sintió un escalofrío. Y, de nuevo, anheló al Heath que había sido su amigo... ¿o no?

Recordando cómo había cambiado su actitud hacia ella antes de marcharse, la determinación con la que le había dado la espalda, alejándose de su vida, tuvo que preguntarse si habría estado contando las horas hasta que pudiera alejarse de la familia Nicholls.

¿De verdad la había querido alguna vez o la había utilizado para llenar los espacios vacíos en su frío corazón?

–También dicen que la venganza es un veneno que pretendemos para otros, pero que terminamos tragando nosotros mismos.

–Me arriesgaré.

Su frialdad fue como un puñal en el corazón de Kat.

–De hecho, soy capaz de tomar el veneno mientras ellos lo tomen conmigo.

¿Cómo podía alguien parecer tan amargado y,

sin embargo, tan perdido al mismo tiempo? Kat querría apretar su mano como había hecho tantas veces, pero la máscara que llevaba puesta era impenetrable, una armadura contra el mundo.

–Oh, Heath...

La tristeza la ahogaba, pero él no parecía conmovido.

–Vuelve con tu hermano, Katherine –le ordenó–. Él te necesita.

Y él no la necesitaba. No lo dijo en voz alta, pero no tenía que hacerlo. Todo en él, su cerrada expresión, su postura, recta e implacable, lo decía por él.

Joe la necesitaba, Heath no. Ni siquiera quería su compañía.

Estaba a punto de subir a la habitación cuando se acordó de Harry, el hijo de Joe, y el sentimiento de culpa se sumó a la explosiva mezcla de sentimientos. No quería darse la vuelta, no quería ver a Heath de nuevo, tan alto y formidable. Pero era demasiado importante.

–¿Dónde está Harry?

Pensar que su sobrino de once años pudiera ver a su padre en aquel estado le rompía el corazón. Sabía lo que sentía el niño, sin madre y con un padre que había descuidado a su hijo como había descuidado la granja...

No lo había visto en la casa. ¿Se habría escondido?

–En el colegio, donde debe estar –respondió Heath.

–¿Pero cómo ha llegado al colegio? No puede haber ido andando.

–Lo he llevado yo.

–¿Tú lo has llevado al colegio?

–¿Por qué no? –replicó él–. Tenía que ir y no había nadie aquí para llevarlo. Solo está a diez minutos en coche.

Qué inesperado acto de generosidad por un niño al que debería odiar como odiaba a su padre. El nacimiento de Harry había sido la razón por la que Joe había echado a Heath de su habitación en High Farm

–Muchas gracias –dijo Kat.

–Harry es un niño. Él no tiene la culpa de nada.

–Sí, pero...

–Vuelve con tu hermano, Katherine –la interrumpió Heath–. Él es quien te necesita.

Se dio la vuelta y, unos segundos después, Kat escuchó las ruedas de su coche sobre la gravilla del camino.

Se había olvidado de ella y lo más sorprendente era cuánto le dolía.

Los gemidos de Joe en el piso de arriba la devolvieron al presente. Su hermano, sumido en un estupor alcohólico, la necesitaba en aquel momento. Tal vez cuando se recuperase de la resaca podría hablar con él para decidir qué iban a hacer.

Pero Joe estaba dormido, roncando profundamente sobre las sucias sábanas, de modo que no la necesitaba por el momento.

Y cuando miró alrededor, Kat sintió que se le encogía el corazón. ¿Cómo no se había dado cuenta del estado de deterioro en que se encontraba High

Farm? Las botellas vacías de whisky sobre la cómoda eran una prueba más del problema de su hermano.

Y si él había caído tan bajo, el pobre Harry...

Kat se cubrió la cara con las manos, horrorizada. ¿Cómo podía un niño de once años soportar aquello?

No había visto a su sobrino en un par de semanas, tan distraída estaba por los problemas que había creado la muerte de Arthur, de modo que no sabía cómo estaría lidiando el niño con la situación. Y solo podía rezar para que Harry no lo hubiera visto en ese estado.

La brutal ironía era que Joe había estado convencido de que su matrimonio con Arthur, supuestamente un rico aristócrata, salvaría a las dos familias. Era esa la razón por la que se había mostrado tan entusiasmado con el compromiso. Pero nada había ido como él esperaba.

Y lo terrible era que ella no podía ofrecerle ayuda. La noticia que le había llevado la abogada de Arthur el día anterior era que su situación era peor de lo que imaginaban. La casa Grange ya no le pertenecía; las deudas de su difunto marido eran tan grandes que vender la casa, o más bien entregársela a la corporación a la que pertenecía en gran parte, era la única opción. Pero, al menos, algunos de los empleados de la finca conservarían sus puestos de trabajo.

Kat recordó entonces las palabras de Heath:

«Vuelve con tu hermano, Katherine, él es quien te necesita».

¿Sabría cuánto le habían dolido esas palabras? Por supuesto que sí, por eso las había pronunciado, despachándola como si fuera alguien sin importancia.

¿Era así como Heath se había sentido el día que Joe lo echó de la casa, enviándolo a dormir al cobertizo? Recordaba aquel día como si hubiera sido el día anterior...

Mientras intentaban superar la pena por la muerte de su padre, debida a un inesperado y fulminante infarto, Joe volvió de la universidad y empezó a comportarse como el dueño de la casa, reservando el veneno de su odio para Heath.

–Mi padre te dejó vivir en la casa todos estos años y me obligó a tolerar tu presencia, quisiera yo o no –le espetó, abriendo la puerta, sin importarle la lluvia que caía sobre el páramo o la helada temperatura–. Pero él ya no está aquí y ahora yo soy el dueño de High Farm, mendigo. A partir de ahora, te ganarás el sustento como peón. Y como los peones no viven en la casa, tú ya no tienes derecho a vivir, comer o dormir aquí.

–¡Joe... no puedes hacer eso! –había gritado Kat. Tenía que hacer algo, no podía dejar que lo echase de allí como a un perro.

Pero su hermano no le hizo caso.

–¡Vete de aquí, mendigo, y no vuelvas nunca!

–Joe... –Kat había vuelto a intentarlo, pero fue silenciada por la feroz mirada de su hermano.

Ella conocía a Joe y sabía muy bien que no debía enfadarlo. Porque si lo hacía, probablemente condenaría a Heath a una suerte aún peor. Pero no podía soportar que lo echase de allí...

Horrorizada, apenada y furiosa al mismo tiempo, a pesar de todo había intentado defenderlo una vez más. Pero entonces vio la helada mirada de Heath y la ferocidad de su rechazo hizo que cerrase la boca. Podía arriesgarse a discutir con su hermano, pero hacerlo con Heath era otra cuestión. Si no quería protección, lo mejor era no ofrecérsela. Si aquella era su batalla y no quería que nadie la librase por él, al menos podía dejarle eso. Aunque no fuera lo que le pedía el corazón.

Tenía los nervios agarrados al estómago mientras veía a Heath levantarse de la silla con gesto de desafío. Esperaba una pelea, la inevitable explosión, pero no llegó.

En lugar de eso, Heath sencillamente clavó los ojos oscuros en su hermano hasta que lo obligó a bajar la mirada. Solo entonces salió de la casa, desafío y hostilidad en cada paso, su oscura cabeza arrogantemente levantada mientras Joe cerraba la puerta tras él.

Y ahora, sabiendo que ya no tenía un hogar porque alguien se lo había arrebatado, Kat pensó que por fin entendía lo que Heath debía de haber sentido aquel día.

Pero, aparentemente, había conseguido su venganza dándole la vuelta a la situación y haciéndose con la casa de la que Joe lo había expulsado.

Ahora era el dueño de High Farm, como lo había sido Joe una vez. Su hermano lo había echado de allí, enviándolo a la fría noche, y Kat no tenía la menor duda de que eso era lo que Heath tenía en mente.

Capítulo 5

KAT SE habría marchado ya, pensaba Heath mientras detenía el coche frente a la puerta de High Farm unas horas después. Joseph debía de estar durmiendo la borrachera en su dormitorio, de modo que Kat habría vuelto a Grange, donde podía seguir haciendo de señora de la casa unos días más.

Durante el tiempo que él quisiera.

Le había indicado a sus abogados que no mencionasen su nombre en relación con la adquisición de Grange y todas las propiedades que Arthur Charlton se había jugado para pagar sus malos hábitos: alcohol, drogas y una fortuna en extorsiones y sobornos para que su vida secreta no saliera a la luz.

Lady Katherine debía conocer ya esa vida secreta y, como resultado, estaría intentando desesperadamente evitar el escándalo. Y agradecería que alguien se ocupara de pagar las deudas, aunque se quedase con la casa Grange. Que él fuera esa persona era un detalle que Heath quería ocultarle durante el mayor tiempo posible.

Solo cuando tuviera lo que deseaba de la viuda

de Arthur Charlton la haría saber toda la verdad sobre el hombre en el que se había convertido.

El olor a comida, algo caliente y apetitoso, fue lo primero que notó cuando bajó del coche.

Era la primera vez desde que ponía el pie en aquella casa y veía algún signo de vida. Se había quedado sorprendido al ver cómo Nicholls había descuidado High Farm en esos años. Él, que decía que era el dueño y que todo el mundo sabría que una nueva generación se había hecho cargo de la propiedad, pensó Heath, irónico.

Siguiendo el olor, llegó a la cocina... y se detuvo al ver a Kat, con el pelo sujeto en una coleta, moviendo algo en una cacerola. Llevaba un delantal de algodón rojo descolorido que no podía disimular sus formas femeninas y tuvo que controlarse para no sucumbir al deseo que sentía por ella, la respuesta una mezcla de placer y dolor casi en igual medida.

–De modo que estás cocinando para tu hermano.

Kat volvió la cabeza, sorprendida.

–Joe sigue durmiendo –respondió, volviéndose de nuevo para mirar el contenido de la cacerola–. Apenas se ha movido, pero he pensado que Harry tendrá que comer algo cuando vuelva del colegio. Estoy haciendo una sopa de verduras... con las pocas que he podido encontrar en la despensa.

Que arrugase la nariz mientras hablaba le dijo cuánto desaprobaba esa situación.

–No he tenido tiempo de ir al mercado –replicó Heath, irónico.

Podría haber llevado a un equipo de limpieza, decoradores, una cocinera para hacer las comidas, muebles nuevos... pero eso revelaría la carta que guardaba en la manga antes de que estuviera dispuesto a jugar su última mano. Por el momento, se contentaba con esperar hasta que llegase el momento.

Y ese momento llegaría pronto.

Heath esbozó una sonrisa mientras observaba a Kat concentrada en el contenido de la cacerola. Demasiado concentrada.

Estaba haciendo un esfuerzo para no mirarlo, fingiendo una indiferencia que no sentía.

–Y tengo cosas más importantes que hacer que arreglar lo que tu hermano ha destrozazo en estos años.

–¿Qué cosas? ¿Más partidas de cartas? –le espetó ella entonces–. ¿Más fortunas que robar? ¿Más vidas que destrozar?

–Mi querida lady Katherine, si consideras esta finca como una fortuna, es que no vemos las cosas de la misma forma. En cuanto a robar... te aseguro que gané High Farm de manera justa. Todo es absolutamente legal.

–Tal vez sea legal, pero dudo mucho que sea justo.

–Tu hermano estaba en deuda conmigo y le di la oportunidad de recuperar algo de lo que debía en esa partida –replicó él–. ¿Estás diciendo que hice trampas?

–No... no lo sé –respondió Kat por fin–. Tú nunca harías eso.

Su expresión consternada lo convenció de que era sincera, pero con sus ojos azules clavados en él, los labios entreabiertos, Heath tuvo que hacer un esfuerzo sobrehumano para encogerse de hombros, como si no lo afectase.

–Huele muy bien –dijo luego.

–¿Quieres un plato? ¿Has comido algo?

–No, no he comido. Y sí, quiero un plato de sopa, si hay suficiente.

–Más que suficiente –dijo ella–. Cuando hago sopa, la hago para un regimiento. Ven, siéntate –añadió, señalando la vieja mesa de pino.

Mientras se dejaba caer sobre una silla, Heath experimentó una oleada de alegría y un terrible vacío a la vez, mezclados de tal forma que no sabía dónde empezaba uno y terminaba el otro.

Así debería haber sido su vida si el padre de Kat no hubiese muerto y si su hermano no se hubiera convertido en el amargo tirano que pagaba su odio a la vida con todo aquel que se ponía a tiro.

Y si Kat no se hubiera dejado tentar por el dinero, las comodidades y la posición de Arthur Charlton. Si nunca lo hubiera rechazado, si no le hubiese tirado el corazón, que era lo único que podía ofrecerle entonces, a la cara.

Una vez, eso era todo lo que había esperado de la vida. El sueño secreto que había guardado para sí mismo, pensando que no lo conseguiría jamás: una casa, alguien con quien volver al final del día. Un sitio donde estaría su mujer, tal vez con la cena preparada, tal vez esperando para que la hicieran entre los dos. Una mujer que haría que su casa, fuera como fuera, se convirtiese en un hogar...

Y no solo una mujer, sino la mujer a la que había deseado siempre. La única mujer que podía satisfacerlo en cuerpo y alma. La única a la que necesitaba.

Katherine Nicholls, ahora Katherine Charlton, la mujer que le había dado la espalda para casarse con uno de sus mayores enemigos.

Ahora tenía casas, más de las que necesitaba ningún hombre, mansiones en todos los continentes.

Sin darse cuenta, Heath levantó la mano para tocar la esmeralda que llevaba en la oreja, el brillante símbolo de su riqueza, un diminuto fragmento de lo que poseía. Era muy rico, más de lo que jamás hubiera podido imaginar, pero las casas que poseía no eran más que un sitio en el que comer, dormir, satisfacer las demandas de su cuerpo e intentar descansar la mente.

Ninguna de esas casas podía ser descrita como un hogar. Desde luego, no el hogar que había soñado siempre.

Un sueño tonto, se decía a sí mismo, sintiendo una oleada de furia. Él nunca había tenido un hogar, siempre había sido un extraño, un intruso.

Aquella cocina era lo primero que había visto de High Farm, el sitio en el que el señor Nicholls lo depositó cuando lo llevó allí, un pobre huérfano recogido en las calles de Liverpool. Iba envuelto en el abrigo del padre de Kat, como protección contra el viento y la lluvia, y al quitárselo se encontró dos pares de ojos, los azul turquesa de Kat, llenos de curiosidad, los más claros de Joe, hostiles y fríos.

–¿Quién demonios es? –había exclamado Joe–. ¿Y qué está haciendo aquí?

–Lo encontré en Liverpool, pidiendo dinero por la calle –respondió su padre–. Apenas habla nuestro idioma y nadie sabe quién es. Tendré que informar a las autoridades para ver lo que pueden hacer, pero no iba a dejarlo allí en una noche como esta. Préstale algo de tu ropa, Joey. No puede llevar esa ropa mojada toda la noche.

–¡No voy a prestarle nada! ¿Por qué iba a darle algo mío a ese mendigo?

–La sopa...

Kat había puesto un plato delante de él y eso lo devolvió al presente.

–Hay pan en la alacena. Está un poco duro, pero si lo tostamos, quedará bien.

–Solo quiero la sopa, gracias.

Una sopa de verduras había sido su primera comida en High Farm, pensó. Al contrario que su hermano, Kat había visto que tenía frío y le había preparado un plato de sopa caliente esa primera noche. Si fuera dado a fantasear, diría que se había enamorado de ella en ese momento, aunque solo tenía siete años entonces y él cuatro más, dos menos que Joseph.

Tomando una cuchara, Heath intentó comer, pero los recuerdos lo ahogaban, haciendo imposible que probase bocado.

–¿Qué demonios hace aquí?

Casi podía escuchar la voz de Joseph tantos años atrás...

–Está solo en el mundo y he pensado que, si las autoridades me lo permiten, podría adoptarlo –había respondido su padre.

–¿Adoptarlo? –exclamó Joe, horrorizado.

–Eso es. Podrías tener un nuevo hermano.

–¡Yo no quiero un hermano! No quiero tener nada que ver con ese mendigo.

Su mirada era tan venenosa que Heath pensó que iba a morirse allí mismo. Y cuando, además, Joe descubrió que su padre había olvidado llevarle el juego de ordenador que le había prometido, se puso lívido de ira.

–¡Jamás lo aceptaré como hermano... nunca! –gritó mientras subía a su habitación–. ¡Llévalo de vuelta a la calle, donde lo has encontrado!

–... lo retiro...

–*¿Desculpe?*

Perdido en los recuerdos, Heath reaccionó usando el idioma que había usado en los últimos diez años.

–Que lo retiro –repitió Kat–. Retiro eso de que quieres ver muerto a mi hermano. No debería haber dicho algo así.

–Estuve a punto de hacerlo muchas veces.

¿Cómo iba a comer cuando ella estaba sentada frente a él, sus ojos azules clavados en los suyos, el cabello oscuro cayendo como una suave nube sobre su cara mientras se inclinaba para tomar la cuchara?

–Pero no lo hiciste –dijo Kat–. Ni lo harías nunca, fuera cual fuera la provocación. Y Joe te ha provocado siempre... se portó contigo de una forma vil. Podrías haberle dado una buena paliza, pero no lo hiciste nunca... ¿no te gusta la sopa?

Desde que puso el plato frente a él, Heath parecía haberse olvidado de comer, perdido en sus pensamientos; unos pensamientos que, a juzgar por su ceño fruncido, no debían de ser muy felices.

–No, no es eso. Estaba esperando que se enfriase un poco.

–Si esperas un poco más, estará helada –dijo Kat.

Intentaba mostrarse alegre, pero viendo a Heath allí, en aquella cocina que una vez había sido tan familiar para los dos, era imposible no volver atrás en el tiempo.

–No vacilaste tanto la primera vez que puse un plato de sopa delante de ti –le dijo, con voz temblorosa.

El día que llegó a su vida, cuando su padre lo llevó a High Farm. Entonces era un chico de aspecto fiero y desafiante y, sin embargo, solitario y triste bajo la máscara que mostraba ante el mundo.

Al contrario que su hermano, que se había puesto furioso, ella había querido darle la bienvenida. Incapaces de entenderse porque no hablaba su idioma, había decidido darle algo de comer... un plato de sopa. Un plato de sopa de verduras como aquel.

–Habría comido un trozo de carbón si me lo hubieras ofrecido –bromeó Heath–. Aparte de tu padre, tú fuiste la única persona que me recibió bien. Al contrario que Joe, que me fulminaba con la mirada.

–Imagino que te veía como un rival por el afecto de mi padre. Ellos dos siempre tuvieron una relación difícil.

–Y Joe pensaba que yo era un pájaro de mal agüero.

–Desde luego, aquella noche parecías un extraterrestre.

Kat sabía que solo estaban hablando para llenar el silencio y, sin embargo, al mismo tiempo, estaba intentando recuperar al antiguo Heath, al chico que había sido su amigo y no aquel frío extraño.

Era irónico pensar que una vez había deseado que espabilase, que hiciera algo con su vida. Porque lo había hecho y eso lo había cambiado por completo.

La mesa que había entre ellos podría ser un puente interminable, tan lejos estaban el uno del otro. Y, sin embargo, ella nunca se había sentido más atraída por Heath.

–Nadie podía entender lo que decías. Tardamos siglos en descubrir que hablabas portugués... –Kat se dio cuenta de algo entonces–. ¿Por eso te fuiste a Brasil?

Heath asintió con la cabeza mientras movía la sopa con la cuchara.

–Quería encontrar a mi familia.

–¿Y la encontraste?

–Descubrí que mi madre me trajo a Inglaterra y me abandonó al ver que ningún hombre quería saber nada de una mujer con un hijo a su cargo.

Kat hizo un gesto de pena al saber cómo había

terminado solo en las calles de Liverpool, aunque ya lo había oído antes, cuando por fin Heath aprendió su idioma y pudieron comunicarse.

Los Servicios Sociales no habían conseguido localizar a su familia y, al final, su padre lo acogió en High Farm...

Heath levantó la mano para tocar el pendiente que llevaba en la oreja, como si tocara un talismán que lo conectaba con el pasado, y algo en ese gesto conmovió a Kat. Nunca había podido entender cómo una madre podía abandonar a su hijo en la calle, en un país extranjero. Le había dolido el corazón por aquel chico solitario tantos años atrás y le seguía doliendo en aquel momento.

Tomó su mano impulsivamente, pero una mirada de esos ojos de ébano hizo que la retirase.

–¿Y tu padre? –le preguntó–. ¿Era el emperador de la China? ¿O de Brasil al menos?

Heath esbozó una sonrisa mientras negaba con la cabeza.

–Era un hombre rico y poderoso. Tenía varias minas en Gerais y trabajé para él antes de descubrir quién era. Y quién soy yo.

–Heath Montanha –murmuró Kat.

–Ese, aparentemente, es el apellido de mi familia.

–Entonces es de ahí de donde viene tu dinero, ¿no?

–No, yo solo soy uno de los muchos hijos bastardos que mi padre ha tenido. Y por lo que he descubierto, nunca le ha importado un bledo saber que tenía hijos por todo el mundo. Tal vez por eso mi madre lo dejó y vino a Inglaterra a buscarse la vida.

–¿Entonces no te ayudó?

–No, he ganado el dinero por mi cuenta. Mientras mi padre buscaba topacios y aguamarinas, yo encontré un rico deposito de esmeraldas en la mina Itabira... –Heath se tocó la oreja–. Esta fue la primera que encontré.

–Es preciosa.

Kat frunció el ceño. Había algo... no sabía qué. Algo que debería recordar, que le parecía importante. Pero no sabría decir qué era.

–Has progresado mucho desde que éramos niños.

–Yo podría decir lo mismo de ti. Pero esta cocina no ha cambiado nada desde la última vez que estuve en High Farm.

La última vez que lo vio también estaban en aquella cocina y Heath le había gritado cuando le reprochó haber sido grosero con sus amistades, Arthur Charlton entre otros.

–Se supone que tú y yo somos amigos –le había dicho–. Pero tú pareces haberlo olvidado. Mira las fechas que has marcado en el calendario para salir con tus nuevos amigos. Mira el número de noches que estás fuera, en Grange o en la ciudad...

–Tengo derecho a pasarlo bien –había intentado razonar Kat–. No puedo quedarme en casa contigo todo el día, Heath. Tú siempre estás de mal humor y no tenemos nada de qué hablar.

–Ah, claro –había replicado él, desdeñoso–. Es

mucho más divertido salir con Arthur Charlton, que algún día heredará un título y que tiene una fortuna. ¿No te has preguntado nunca por qué siempre estoy de mal humor?

–¿Porque estás celoso? ¿Porque tienes que quedarte aquí trabajando mientras yo lo paso bien?

–Si crees eso, es que no me conoces en absoluto –había replicado Heath, con un brillo de furia en sus ojos negros.

–¿Sabes una cosa? Tal vez no te conozco. Desde luego, no eres la persona que solías ser –había dicho Kat–. De hecho, tal y como te portas ahora, ni siquiera sé si quiero conocerte.

Esas fueron las últimas palabras que se habían dicho. Esa misma noche, Heath había guardado sus cosas y se había ido de High Farm sin despedirse de nadie. Le había dado la espalda, rechazando la amistad que había entre ellos...

–Hasta la sopa es la misma. ¿Te gusta? –le preguntó.

Kat intentaba disimular la turbación que sentía al estar sentada frente a él, mirándolo a los ojos. Intentó disimular apartando la mirada, pero al ver sus manos morenas sujetando la cuchara lo único que podía pensar era cuánto deseaba que esas manos la tocasen. Sus propias manos temblaban con el deseo de tocarlo y esa imagen hizo que sintiera una extraña quemazón en la boca del estómago.

Nunca había sentido algo así con Arthur. Había pensado que la pasión nacería con el tiempo y con la amistad que había creído compartir con él. Pero no podría haber estado más equivocada.

Lo había intentado todo: ropa interior sexy, perfumes, cremas para suavizar su piel... pero no había servido de nada. Nada hacía que Arthur la desease como ella quería, como necesitaba ser deseada. Y nada la había hecho sentir lo que sentía en aquel momento. En presencia de Heath se sentía como una mujer, devastadoramente consciente de su feminidad. Solo tenía que mirarla para que le ardiese la cara.

–Está bien.

Heath tomó una cucharada de sopa para demostrarlo.

–¿Por qué sonríes?

–Está muy rica.

–¿Y eso te hace sonreír?

–No esperaba que acabaras siendo tan buena cocinera.

–¡Entonces era una niña!

–Lo sé muy bien –lo había dicho con tal énfasis que Kat lo miró, desconcertada–. Cuando me marché de aquí, tú tenías quince años y yo diecinueve.

Un ruido en el piso de arriba, los convulsos pasos de Joe, hizo que Kat se levantase de la silla.

–Será mejor que vaya a ayudarlo, no quiero que se caiga. Tal vez un poco de sopa caliente le vendría bien.

Ayudar a su hermano no fue tan fácil como había anticipado porque, aunque estaba despierto, seguía borracho y de mal humor, de modo que tardó un rato en volver a la cocina. Cuando lo hizo, Heath había terminado su sopa y estaba lavando su plato.

–¿Vas a ir a buscar a Harry al colegio? –le preguntó.

Sorprendida, Kat miró el reloj de la pared...

–Dios mío, qué tarde es. Tengo que volver a casa a buscar el coche.

–¿No has venido en coche?

–No, necesitaba tomar un poco el aire.

No lo miraba a los ojos mientras decía eso. ¿Recordaría Heath cuántas veces habían paseado juntos desde el pueblo a la granja, sin importarles los cinco kilómetros que había entre uno y otra, disfrutando de la libertad y de la belleza de los páramos? ¿Disfrutando al estar juntos?

–Entonces, puedo llevarte yo.

–Te lo agradecería... ¿pero por qué vas a molestarte?

–Por la misma razón por la que lo he llevado al colegio: alguien tiene que hacerlo.

–Pero es el hijo de Joe. El hijo del hombre al que odias.

–Ya hemos hablado de eso –Heath dejó escapar un suspiro–. Tu sobrino es un niño inocente y no tengo intención de hacerle daño.

–Pero si vas a echar a mi hermano a la calle...

–¿He dicho yo que vaya a hacer eso? –la interrumpió él.

–Si te has quedado con High Farm, imagino que...

–No imagines cosas porque te equivocarás, *lady Katherine*.

¿Esa era una afirmación o una amenaza? No sabía cómo interpretarlo y la actitud de Heath, que estaba mirando por la ventana las gruesas nubes que el viento movía hacia High Farm, no ayudaba nada.

–¿Entonces qué piensas hacer?

Él se encogió de hombros.

–No lo he pensado.

Kat se negaba a creerlo. Si había descubierto algo sobre aquel nuevo Heath, era que lo tenía todo bien pensado. Solo había que ver el brillo calculador de sus ojos para saber que lo tenía todo controlado.

–Si de verdad la granja es tuya...

–Es mía.

–Entonces Joe no tiene nada. Ni casa, ni trabajo.

¿Y por qué debería importarle a él? Eso parecía decirle con la mirada.

–Podría ofrecerle un trabajo –dijo Heath entonces.

La pausa que hizo después, perfectamente calculada, le decía que había más y que solo debía esperar para saberlo.

–Tal vez cuidando de los cerdos...

Kat hizo una mueca. Él sabía cuánto odiaría Joe hacer ese trabajo, cualquier trabajo que Heath le ofreciese, sencillamente porque lo pondría en la posición de subordinado del hombre que había arruinado su vida y se había apoderado de lo que, hasta entonces, había sido suyo.

–Un trabajo que incluiría alojamiento, por supuesto –siguió él–. Creo que mi cama sigue estando en el cobertizo.

–No puedes hacer eso.

Kat se llevó una mano al corazón, recordando que Heath había pasado meses en ese cobertizo...

–¿Por qué no?

–Porque es cruel, inhumano. Siempre me sorprendió que te quedases allí... estaba segura de que te marcharías.

–Créeme, habría querido hacerlo.

–¿Y por qué no lo hiciste?

–Si tienes que preguntar, no merece la pena que responda –dijo Heath, tomando su chaqueta del respaldo de la silla.

Era evidente que no iba a darle una respuesta. La conversación había terminado y ella no podía retomarla.

Heath señaló la puerta y el coche que estaba aparcado allí.

–Si quieres que vayamos a buscar a Harry, deberíamos irnos ahora mismo.

El viaje hasta el colegio fue rápido y cómodo en el poderoso deportivo, pero Kat no podía dejar de pensar en la conversación y apenas se dio cuenta de que habían llegado hasta que vio las puertas del colegio.

–¿Dónde vas a llevarlo? –le preguntó Heath mientras quitaba la llave del contacto.

Kat había ido en silencio durante el viaje porque temía que le hiciera daño a su sobrino. Si ella supiera que esa no era su intención en absoluto...

El chico le recordaba a sí mismo a su edad, mejor alimentado quizá, pero igualmente solo. El padre de Harry estaba tan ausente como lo habían estado sus propios padres.

–No lo sé.

–No puedes llevarlo a High Farm con Joe en ese estado.

–No, desde luego –Kat vio que se abrían las puertas del colegio y buscó a su sobrino entre los niños que salían corriendo–. Además, la granja ya no es su hogar.

Si quería que le doliese el reproche, lo había conseguido.

–Ya te he dicho que he adquirido High Farm de manera legal.

–Pero si vas a echar a Joe, harás lo mismo con su hijo. Harry acabará en la calle, como tú cuando eras niño –siguió Kat–. No puedo creer que seas capaz de hacer eso.

–No deberías hacer suposiciones.

Le gustaría que dejase el tema. Los reproches de Kat estaban haciendo que se enfrentase con reproches propios, preguntas que no quería responderse a sí mismo.

–¿No vas a echarlo de High Farm?

En ese momento, Harry salió del colegio. Era un chico bajito y moreno de la misma edad que él cuando el padre de Kat lo rescató de las calles de Liverpool y lo llevó a su casa.

Aquel chico era hijo del hombre al que había querido arruinar. El hombre al que había odiado durante toda su vida y del que había jurado vengarse. Para eso había ido a Hawden.

Pero algo había cambiado.

–Por mí, Joe puede pudrirse en el infierno, pero Harry es otra cuestión.

Y mientras el niño corría hacia el coche, con una sonrisa de oreja a oreja al ver a su tía, a Heath se le encogió el estómago.

Kat se incorporó un poco en el asiento para saludar al niño por la ventanilla y el movimiento hizo que Heath se fijara en su trasero y en el pelo oscuro que caía por su espalda... despertando un deseo que apenas podía controlar.

Su perfume llenaba el interior del coche, turbándolo, mareándolo casi.

Le gustaría apartar la mirada, mirar a cualquier otro sitio. Cualquier cosa para distraerse de los latidos de su corazón. Sus vaqueros eran de repente demasiado estrechos y tuvo que moverse en el asiento, incómodo, para intentar rebajar la presión.

Tenía que dejar de pensar que ella era una mujer y él un hombre. Un hombre que deseaba a aquella mujer como no había deseado nada en toda su vida.

Y cuando miró a Harry, de nuevo experimentó eso que había experimentado por la mañana. No tenía sentido seguir negándoselo. Cuando miraba los ojos de aquel chico veía los de Kat, los mismos ojos azules. En la mirada inocente de Harry veía a la Kat que había querido desde su infancia y su tormentosa adolescencia. Y por eso siempre tendría debilidad por él, aunque Joseph Nicholls fuera su padre.

–¿Cómo iba a hacerle eso? –murmuró–. ¿Cómo

voy a dejarlo en la calle? Yo he estado allí. He vivido eso y jamás se lo haría a un niño.

Kat se volvió en el asiento para mirarlo con esos mismos ojos por los que tenía debilidad.

–¿Quieres decir...?

–Que tu hermano puede quedarse en High Farm hasta que encuentre otro sitio. Yo no voy a alojarme allí hasta que reforme la casa, pero en cuanto Joe encuentre otra cosa...

Harry subió al coche en ese momento y, después de abrazar a su tía, se puso a charlotear. Pero no antes de que Kat se volviera hacia él para murmurar un «gracias».

–¿Dónde vamos?

No podía evitar que su voz sonara ronca, pero al menos podía distraerse arrancando el coche y concentrándose en la carretera.

–¿Quieres volver a Grange?

Heath no la miró. Una sola mirada haría que su corazón se descontrolase, anhelando lo que no podía tener.

Al menos, por el momento. A menos que rompiese la promesa que se había hecho a sí mismo de esperar.

–Sí, por favor.

Mientras tomaba la carretera que llevaba a la casa Grange, Heath recordó que Isobel había flirteado descaradamente con él. Conocía bien esa mirada y sabía cómo se portaba una mujer cuando estaba interesada por un hombre.

Y también había visto un brillo en los ojos de

Kat cuando hablaba con ella. Un brillo parecido al de los celos. Y, aunque ella lo negaría, podía utilizar esa rivalidad para su propio provecho...

–Muy bien, iremos a Grange –asintió, sonriendo para sí mismo mientras pisaba el acelerador.

Capítulo 6

HEATH me ha invitado a almorzar en Leeds, pero estoy segura de que podré convencerlo para que vayamos de compras después de comer.

Isobel sonreía como el gato que se comió al canario mientras anunciaba sus planes.

–Y haré que se gaste una enorme cantidad de dinero en mí –añadió, moviendo las cejas con exagerado entusiasmo–. Está forrado, ¿verdad?

Kat murmuró algo que Isobel podría tomar por asentimiento si eso era lo que quería. Estaba harta de la fascinación de Isobel por Heath y cansada de oírla hablar de su dinero.

–Belle, ¿seguro que estás siendo sensata?

–¿Sensata? –repitió su cuñada–. La sensatez es para las ancianas como tú. Yo solo tengo veinte años y quiero pasarlo bien.

–¿Y crees que eso es lo que quiere Heath?

–¡Pues claro! –Isobel levantó los ojos al cielo, exasperada, sacudiendo sus rubios rizos–. Pero tengo que convencerlo de que yo soy la persona con la que puede pasarlo bien.

–¿Estás segura de lo que haces? Heath no es el

tipo de hombre al que estás acostumbrada. Es mucho mayor que tú y...

Es peligroso, le habría gustado decir. Enigmático y peligroso. Aunque si Isobel le preguntase, le resultaría difícil explicar esos sentimientos porque, para su cuñada, Heath era el encanto personificado.

Pero era letal. Letal para su propio equilibrio, letal para su paz interior. Estar en la misma habitación con él hacía que se sintiera mareada.

–Ya sé que entre nosotros hay una gran diferencia de edad. Heath es mayor, pero guapísimo –dijo Isobel, aunque Heath aún no tenía treinta años–. Es un hombre de verdad.

–¿Estás diciendo...?

Kat se contuvo, sorprendida por su reacción ante esas palabras. No entendía que la importase tanto.

–Bueno, aún no nos hemos besado –Isobel soltó una risita–. Aunque no será porque yo no lo haya intentado. Si no fuera porque es tan claramente heterosexual, casi podría pensar que es gay. Pero no lo es, no puede serlo.

Sin darse cuenta, Kat se llevó una mano a los labios que Heath había besado. Recordando ese momento, y la dura evidencia de su deseo, no tenía la menor duda de que era heterosexual. Y solo con recordarlo sentía un cosquilleo entre las piernas...

En la cama con Arthur, cuando la besaba o la tocaba, nunca había sentido eso. Aunque lo había intentando. De verdad había creído que la relación con su marido podía funcionar, pero Arthur nunca la había deseado. Teniendo en cuenta dónde lo habían encontrado la noche que murió, en la cama con otro hombre, su cuerpo lleno de heroína, ni a ella ni a ninguna otra mujer.

Eso despertó recuerdos de las largas y tristes noches en las que intentaba consumar su matrimonio con Arthur, que era incapaz de tener una erección y, sin embargo, la acusaba a ella de ser frígida, de no una mujer de verdad. Y sin saber, porque no tenía experiencia, Kat lo había creído.

Pero si había algo que demostrase que el problema era de Arthur, no suyo, su respuesta a los besos de Heath y los sueños eróticos que plagaban sus noches eran la prueba.

«Yo sé lo que te pasa», solía decir su marido. «No estás interesada en un caballero. Sigues soñando con ese mendigo, eso es lo que te excita».

Y, para su total consternación, en ese sentido Arthur había tenido razón.

–Estoy de broma, tonta –dijo Isobel, devolviéndola al presente.

Su cuñada, que no dejaba de mirarse al espejo, no se había dado cuenta de que Kat estaba pensativa.

–Está claro que es hetero, pero llevo semanas dándole la luz verde y nada. ¿Tú crees que no está interesado? –le preguntó, volviéndose para mirarla con los mismos ojos de color azul pálido que Arthur–. Tal vez se está haciendo el caballero. Al fin y al cabo, yo soy la hija de un aristócrata y tal vez es así como cree que debe portarse.

–Isobel...

–Voy a hacer que me invite a cenar esta noche –siguió su cuñada– y entonces va a quedarse de piedra. Tengo un vestido precioso con una abertura hasta aquí...

Kat ya había soportado más que suficiente.

–Belle, por favor. No hace falta que me lo cuentes todo.

–Ah, lo siento –se disculpó Isobel, contrita–. Debería haber imaginado que también tú te sientes frustrada. Después de todo, hace mucho tiempo que no...

Esa fue la gota que colmó el vaso. Que su cuñada pensara que echaba de menos a Arthur físicamente, que había tenido alguna relación que echar de menos, hizo que perdiese los nervios.

–¡Ya está bien!

No sabía si gritar, llorar o hacer las dos cosas a la vez. Afortunadamente, en ese momento sonó el timbre, pero antes de que tuviera tiempo de dirigirse a la puerta, el propio Heath entró en el salón.

Desconcertada y airada tras la conversación con Isobel, Kat no estaba preparada para verlo.

–Buenos días, señor Montanha. Encantada de volver a verlo. Pero dígame... ¿es normal en Brasil entrar en una casa ajena sin esperar que le abran la puerta?

–*Bom dia* para usted también, *lady Katherine* –replicó Heath, irónico.

–Yo le he dicho que entrase sin esperar –intervino Isobel–. Después de todo, ahora somos amigos. ¿Verdad que sí?

–Por supuesto.

Heath se inclinó para darle un beso en la mejilla, aunque no era eso lo que Isobel pretendía al ofrecerle sus labios.

–Los amigos de Isobel siempre son bienvenidos aquí –dijo Kat por fin, intentando mostrarse serena.

–Desde luego que sí –asintió su cuñada, tomando a Heath del brazo.

–Especialmente cuando te invitan a almorzar en Quatro's, ¿eh? –sugirió Heath, con una frialdad que la asustó. La asustó porque la pobre Isobel no parecía darse cuenta.

–¿Quatro's? ¿Has oído eso, Kat? Vamos a almorzar en Quatro's.

–Sí, lo he oído.

–Ve a buscar tu abrigo –le aconsejó Heath–. Hoy hace frío.

–Tengo que cambiarme de ropa. No voy a ir a Quatro's con este vestido tan simple.

Kat esperó hasta que su cuñada salio del salón y luego se volvió hacia Heath con un brillo de desafío en los ojos.

–¿Qué estás haciendo?

–¿A qué te refieres?

El rostro de Heath era pura inocencia.

–Tú lo sabes muy bien.

–Voy a comer con tu cuñada en Leeds.

–No me refiero a eso. Me refiero a cuáles son tus intenciones.

–¿Qué es esto, *lady Katherine*? ¿Crees que debo darte explicaciones? O tal vez debería informarte de mis ingresos para que tú decidas si merezco ser visto con tu cuñada.

–No digas tonterías.

–¿Tonterías? –repitió él, airado–. Dime una cosa, ¿qué te importa a ti lo que yo haga con Isobel?

–Solo quiero saber qué pretendes de ella.

–Eso es asunto mío.

–Y mío –replico Kat–. Le prometí a Arthur que cuidaría de ella.

Mencionar a su marido había sido un error porque el brillo en los ojos de Heath se volvió salvaje.

–Isobel es mayor de edad.

–Apenas tiene veinte años.

–Yo estaba ganándome la vida en un país extraño cuando tenía diecinueve –le recordó él.

Y lo había hecho sin tener familia porque su hermano lo había echado de la casa, tratándolo como si fuera un simple peón, y Arthur se había asegurado de que no encontrase empleo en toda la zona.

La acusación estaba ahí, aunque no lo hubiera dicho en voz alta, y Kat no podía negarla.

–Pero Isobel es inocente.

Heath enarcó una ceja, como cuestionando tal afirmación.

–Cree que lo sabe todo, pero es una ingenua –siguió Kat–. Ha vivido siempre aquí, protegida por todos, o en un internado. No sabe nada de la vida.

–Y tú crees que no debo relacionarme con tu delicada cuñada.

–No, no es eso. Es que...

–¿Qué, Katherine? –la interrumpió él–. La verdad es que no tiene nada que ver contigo. Yo tengo derecho a salir con quien quiera y tú no eres quién para poner objeciones.

Mirando el brillo de sus ojos, la piel bronceada y los altos pómulos, Kat sentía alternativamente que estaba ardiendo de fiebre y fría como el hielo. Un hielo que se derretía al llegar a su vientre, dejándola sin habla.

–Yo no he dicho...

–¿Crees que tu aristocrático marido se revolverá en su tumba al pensar que un mendigo pueda poner sus sucias manos en algún miembro de su ilustre familia?

–Yo nunca te he llamado mendigo –le recordó Kat.

–Cierto –asintió él–. Tú eras la única persona que no me lo llamaba, pero si lo hubieras hecho, tendrías razón porque eso es lo que soy. Tuve que mendigar cuando era niño...

–Yo nunca te he visto de ese modo.

–¿Entonces por qué te disgusta tanto que salga con tu cuñada? ¿No me digas que estas celosa?

–¡Celosa! –su voz había sonado destemplada, demasiado para resultar convincente. Y, por primera vez desde que empezó la incómoda conversación, deseó que Isobel se diera prisa y bajase de la habitación. Pero sabía que su cuñada tardaría un rato en elegir el atuendo más adecuado para ir a un restaurante tan exclusivo–. Lo dirás de broma.

Intentó mirar por la ventana para no mirarlo a él, pero no podía moverse. Esos ojos negros la tenían transfigurada. Sentía como si pudiera ver en su corazón, en su alma, conocer hasta su último secreto.

–No estoy de broma.

Heath murmuró algo en su idioma y ella no pudo apartar la mirada de su boca, pasándose la lengua por los labios como si hubiera vuelto a besarla...

–¿Qué has dicho?

La sonrisa de Heath hizo que se le encogiera el estómago.

–He dicho que eres una mentirosa, aunque una muy guapa.

Kat contuvo el aliento. ¿Sabría Heath lo que la hacía sentir que dijera eso? ¿Sabría que era un bálsamo para su alma y para su autoestima... una autoestima que su marido había lacerado tan a menudo con su cruel desprecio?

Pero, de alguna forma, se hizo la fuerte, rompiendo el hechizo que Heath parecía ejercer sobre ella.

–¡No estoy mintiendo! –exclamó, desesperada. Una vez más, él levantó una ceja, cuestionando la verdad de esa afirmación y Kat se encontró sacudiendo la cabeza–. No estoy mintiendo –repitió.

–¿Te importaría demostrarlo?

–¿Qué quieres decir con eso?

Su voz había perdido fuerza y Heath había dado un paso adelante. Estaba acercándose, despacio, de manera casi imperceptible.

Debería dar un paso atrás, salir corriendo si hacía falta, pero su cuerpo se negaba a obedecerla. Estaba en el mismo sitio, los pies firmemente clavados al suelo, su respiración agitada, el corazón latiendo salvajemente dentro de su pecho.

–¿Como quieres que lo hagamos, *namorada*?

–¿Qué...?

«No vamos a hacer nada», querría decir. Pero ese monosílabo fue todo lo que salió de su garganta. Parecía como si al hablar hubiese respirado su aroma, como si su boca recordase el calor de la de Heath.

–Porque nos ocurre a los dos, ¿verdad? No soy solo yo.

La última frase fue pronunciada mientras inclinaba la cabeza para atrapar su boca, el deseo debilitando sus miembros de tal modo que tuvo que agarrarse a él para no caer al suelo.

Tres besos. Solo habían compartido tres besos en toda su vida y, sin embargo, cada beso había sido tan diferente, tan único que Kat sentía como si llevara una vida entera disfrutando de sus caricias.

El primero, el día que volvió a su vida, había sido como estar en el ojo de un huracán. La pasión la había sobrepasado entonces, llevándola a un infierno donde pensó que se quemaría antes de que su corazón pudiese latir de nuevo.

Luego, la lenta seducción del segundo, el que había hecho que se derritiera, provocando un despertar sensual que la llenó de anhelo.

Pero aquel beso era una experiencia nueva y Kat supo que tenía el poder de romperle el corazón. Era el beso que había soñado siempre, el beso que había esperado toda su vida.

Besar a Arthur, y ser besada por él, había sido

como besar a un chico entusiasta, torpe, incluso enternecedor, pero poco más. Había pensado que siempre era así al principio de una relación, que poco a poco mejoraría. Pero había sido al contrario, cada día le faltaba algo más. Y no sabía lo que le faltaba hasta aquel momento.

Había pensado que era culpa suya porque no tenía experiencia. Hasta que aquel primer beso de Heath le había demostrado lo que podía haber entre un hombre y una mujer.

Aquel era el beso de un hombre y ella lo recibía como una mujer; un beso que abría su mente y su cuerpo a nuevas sensaciones: el calor de su piel, el olor de su cuerpo, la fuerza de sus músculos.

Pero, de repente, besar ya no era suficiente. Quería más, necesitaba más y alargó las manos para tocar sus brazos, apretando sus bíceps bajo la camisa. El calor de su piel parecía quemar sus manos, marcándola, haciéndola suya sin esperanza de redención.

Necesitaba ese calor por todas partes, en sus manos en sus labios, en su cuerpo. Se apretaba contra él, pero no podía acercarse suficiente; las puntas de sus pechos aplastadas contra el torso masculino, las caderas contra su pelvis. Y sentir la dureza de su miembro en el sitio que ardía por él la mareó.

La fuerza de ese sentimiento, y la emoción al pensar en lo que podría pasar, casi le daba miedo. Pero, a la vez, experimentaba una gloriosa sensación de triunfo al saber que podía excitar de tal forma a un hombre... a Heath.

Era un bálsamo para las heridas que el amargo

rechazo de Arthur le había infligido, una delicia que borraba las decepciones que había experimentado durante su matrimonio.

Pero quería más e, inclinándose hacia delante, lo tomó ella misma sin esperar, dejando que su lengua se enredase con la de Heath.

Como respuesta, él levantó las manos para acariciar sus pechos, rozando sus pezones con los pulgares, provocando sensaciones que iban como flechas hacia el ardiente y húmedo centro entre sus piernas.

De modo que era aquello, pensó en medio de una niebla de deseo. Aquello era por lo que la gente perdía la cabeza.

Sentía como si, a los veinticinco años, por fin hubiera despertado de un largo sueño. Como la Bella Durmiente despertando de su trance. Quien la besaba no era un príncipe que la llevaría en su carroza, sino Heath, el chico que había desaparecido de su vida diez años antes y había vuelto como otra persona. Un mendigo como él mismo había dicho, pero también un hombre diferente. Un hombre que había sido maltratado por la vida y había vuelto aún más endurecido y que, sin embargo, lograba romper sus defensas para llegar hasta su corazón.

Y como Pandora cuando abrió la caja que le habían otorgado los dioses, Kat empezaba a experimentar incomprensibles y desconocidas emociones, sabiendo que no había manera de contenerlas.

Aunque tampoco quería hacerlo. Le gustaban aquellas nuevas sensaciones y el ansia que despertaban en ella.

Pero un ruido en la escalera rompió aquel estado de delirio y el repiqueteo de unos tacones le advirtió del regreso de Isobel.

El sonido fue como una bofetada. Kat se quedó inmóvil, intentando controlarse...

Isobel volvía de la habitación. Su cuñada, que iba a almorzar alegremente con el hombre que la había besado para demostrar que estaba celosa.

¿Estaba celosa?

¿Cómo podía estar celosa cuando aún no entendía lo que sentía por Heath?

¿Y cómo podía haber dejado que la sedujera cuando era evidente que no sentía nada por ella?

La sensación gloriosa de sentirse una mujer por fin se esfumó al enfrentarse con la verdad: había dejado que su desesperación, su soledad y su necesidad de cariño la pusieran a merced de un hombre que era capaz de todo para conseguir lo que quería.

–No –murmuró.

Lo había dicho en voz baja y, sin embargo, ese monosílabo contenía toda la ira que sentía. Pero Heath se limitó a sonreír.

–Mentirosa –murmuró, inclinando la cabeza de nuevo.

–¡He dicho que no!

Temiendo no encontrar fuerzas para apartarse de él, Kat levantó una mano para empujarlo, pero o él se había acercado sin que se diera cuenta o ella había levantado la mano más de lo que pretendía porque su palma contactó con la mejilla de Heath, el sonido de la bofetada sorprendiéndola por completo.

Él se quedó inmóvil, sus músculos tensos, la única emoción el brillo airado de sus ojos.

El silencio se alargó hasta que pensó que iba a explotar. Casi podía sentir la batalla de Heath consigo mismo, la pasión de unos segundos antes disipada por completo, rota en un millón de fragmentos que sería imposible reunir de nuevo.

Y lo terrible era que ella quería reunir esos pedazos, quería disfrutar de aquel glorioso momento una vez más. Quería revivir la sensación de ser deseada, de estar viva.

Pero, sobre todo, quería reencontrar a esa otra persona que había dentro de sí misma y a la que no conocía.

Lo deseaba como deseaba a Heath. El Heath que no era ya el chico de antaño, sino un hombre con la fuerza y la presencia que siempre había sabido en el fondo que tendría algún día.

–Muy bien, lady Katherine, he entendido el mensaje alto y claro –dijo él, apartándose–. Imagino que querrás darte una ducha para borrar la mancha del mendigo, así que te dejo para que lo hagas.

–Yo... –Kat intentó decir algo, pero Heath se dirigía hacia la escalera para darle el brazo a Isobel.

–¿Nos vamos?

–Claro –respondió su cuñada–. No sé a qué hora volveremos, Kat. Pero no te preocupes, estoy en buenas manos.

Eran exactamente esas manos lo que preocupaba a Kat. Pero si le pedía que se quedara, Isobel se rebelaría. ¿Y qué podía argüir para que no saliera con

Heath más que los celos de los que él la había acusado?

–Yo cuidaré de ella. No debes preocuparte.

Mientras Kat buscaba una respuesta vio que le abría la puerta del coche a Isobel antes de dar la vuelta y colocarse tras el volante.

¿Era posible que estuviera celosa?

«Creo que eres una mentirosa, una muy guapa».

Las palabras de Heath sonaban en su cabeza con tal claridad que, si no estuviera viéndolo arrancar el coche, pensaría que estaba a su lado.

¿Estaba mintiendo o era la verdad? ¿Y cuándo mentía? ¿Cuando le dijo que no estaba celosa de Isobel o cuando lo besaba con toda su alma?

Intuía que su cuñada no estaba a salvo con Heath, pero tampoco ella estaba a salvo. De hecho, no había manera de escapar por mucho que quisiera.

Y mientras veía el coche alejándose por el camino, dirigiéndose a la verja de entrada, la sensación de soledad era peor que diez años antes, cuando supo que Heath se había ido de High Farm. Cuando oyó a Joe gritar, airado, que las vacas no habían sido ordeñadas y los caballos no tenían pienso, había ido al cobertizo para descubrir que sus cosas ya no estaban allí. No había dejado una nota ni un mensaje diciendo dónde iba o si pensaba volver...

Entonces se había sentido perdida y abandonada por el chico al que creía su amigo. Pero eso no era nada comparado con lo que sentía en aquel momento.

Debería ser más fácil, pensó, porque esta vez sabía dónde iba y cuánto tiempo estaría fuera. Kat sabía que volvería y eso empeoraba la situación porque no sabía cómo iba a enfrentarse con él cuando lo hiciera.

Capítulo 7

UN TRUENO retumbó sobre su cabeza cuando Heath detuvo el coche frente a la entraba de la casa Grange. Dos segundos después, un relámpago iluminó la puerta de tal modo que, por un momento, pensó que alguien había encendido un foco.

En el asiento delantero del coche, su pasajero, un niño, murmuró algo en sueños. Se había quedado dormido durante el largo y difícil viaje por la oscura carretera que llevaba allí desde High Farm.

–Tranquilo, no pasa nada.

Heath puso una mano sobre su hombro, deseando que siguiera dormido. La situación era tan complicada que sería mucho más fácil si Harry durmiese el resto de la noche, dejando que él hiciese lo que tenía que hacer.

No había luces en la casa, pero no había esperado otra cosa. Eran las dos de la madrugada y cualquier persona con un poco de sentido común estaría en la cama, bien abrigada y con la cabeza bajo la almohada para olvidarse de la tormenta que sacudía el páramo.

Eso era lo que debería estar haciendo él: dormir... solo. Por muchas ideas que tuviese Isobel Charlton.

Heath esbozó una sonrisa al recordar la reacción de Isobel cuando recibió la llamada. No le había hecho ninguna gracia que interrumpiese el almuerzo, aunque se había animado cuando le propuso que invitase a comer a sus amigas, diciendo que él pagaría la cuenta.

Si fuese tan fácil lidiar con su maldito cuñado...

Heath se pasó la mano por el corte en la mejilla, maldiciendo a Joe Nicholls en silencio. Pensaba que había dejado de beber, pero de algún modo había conseguido un suministro de whisky y el resultado era un desastre. Un desastre que no le importaría un bledo si no fuera por Harry.

Heath volvió a mirar al niño, dormido bajo la manta, antes de salir del coche para correr hacia la puerta bajo la lluvia. Cuando pulsó el timbre, el sonido pareció hacer eco por toda la casa.

–Vamos, Kat –murmuró.

Habría preferido no tener que verla ese fin de semana y dejarla cociéndose en su propia salsa después del último beso. Había creído que estaba haciendo progresos, incluso que Kat estaba a punto de admitir el deseo que sentía por él... cuando reaccionó dándole una bofetada.

La furia que había sentido en ese momento era suficiente para hacerlo olvidar el frío y la lluvia. Kat se había derretido entre sus brazos, tan ansiosa como había soñado siempre, pero entonces, de repente, había reaccionado poniéndose la máscara de lady Katherine.

«¿Gustarme Heath? Lo dirás de broma», la voz de Kat tantos años atrás parecía reírse de él. «Por favor, míralo, sin dinero, sin trabajo, sin clase. Puede que mi familia esté pasando por un mal momento, pero aún tenemos orgullo. ¿Cómo iba a gustarme Heath?».

–¡Katherine! –gritó, golpeando la puerta con el puño.

Tenía que levantar la voz para hacerse oído por encima de los truenos y el viento, pero unos segundos después vio que se encendía la luz del vestíbulo.

–¿Quién es?

–¡Soy Heath! ¡Tengo que hablar contigo!

–¿Heath? –repitió ella, sorprendida–. ¿Qué haces aquí?

–Katherine, abre la puerta y te lo diré.

Era una ironía que tuviera que suplicarle que abriese cuando Grange le pertenecía a él. Los documentos habían sido firmados el día anterior y la casa y la finca eran suyas como pago por la enorme deuda que Arthur Charlton había contraído. Y, sin embargo, tenía que pedir permiso, rogarle que abriese la puerta.

–Es muy tarde y está lloviendo a cántaros...

–Lo sé muy bien –la interrumpió él–. ¡Abre la maldita puerta!

No, esa no era la manera de conseguirlo, pensó. Si se ponía autoritario, Kat cerraría la puerta con doble cerrojo y probablemente llamaría a la policía. Y en aquel momento lo último que necesitaba era eso. No por él, sino por el hermano de Kat y por el niño que dormía en el coche.

–Kat... por favor, déjame entrar. Tengo que hablar contigo.

Ese «por favor» fue la palabra mágica y Kat, al otro lado de la puerta, se envolvió en el albornoz, como si Heath pudiese verla desde el otro lado.

¿De verdad había dicho «por favor» en ese tono suplicante? ¿Qué podía querer a esas horas y con esa tormenta?

Como si no se sintiera bastante mal cuando lo vio salir de allí con Isobel, el teléfono había sonado casi inmediatamente y la abogada de Arthur le había dado la peor de las noticias: los acreedores se lo habían llevado todo. No quedaba nada para ella. Grange ya no era su casa.

–Kat...

¿Qué podía querer Heath? ¿Estaría enfermo, herido?

Pensar eso hizo que quitase el cerrojo a toda prisa. La puerta se abrió y la brutal fuerza del viento la hizo temblar de arriba abajo.

–¿Qué ocurre?

Pero Heath se había dado la vuelta y Kat lo vio correr hacia el coche, su pelo negro empapado por la lluvia, para sacar algo... o a alguien.

Un relámpago iluminó la escena mientras entraba en la casa con el bulto en brazos. Heath, empapado, tenía magulladuras en la cara. Su camisa, la misma que había llevado por la mañana cuando fue a buscar a Isobel, estaba arrugada, fuera del pantalón, con el cuello rasgado. Tenía sangre en los labios y un hematoma en la mejilla...

«Oh, Heath».

Y luego, cuando miró el sofá donde había depositado el bulto que llevaba en los brazos, vio que era su sobrino.

–¿Por qué has traído a Harry aquí? ¿Qué ha pasado?

–¿Qué ha pasado? –repitió él, pasándose ambas manos por el pelo empapado–. Tu hermano ha pasado.

–¿Qué ha hecho Joe ahora?

–Se ha tomado dos botellas de whisky y prácticamente ha incendiado High Farm. Cuando intenté entrar en la casa para buscar a Harry, Joe se lanzó sobre mí...

–Pero si tú estabas en Leeds.

–¿Crees que dejaría solo a Harry con un borracho como tu hermano? Había alguien vigilando y en cuanto me llamó para decir que había problemas vine a toda prisa.

–¿Pero Isobel...?

–Tu cuñada decidió quedarse en Leeds con una amiga cuando se dio cuenta de que yo no estaba interesado.

Kat se sentía a la vez aliviada, atónita e incrédula. Y la combinación de esas tres emociones hacía que le diese vueltas la cabeza. Pero entonces volvió a mirar la cara magullada de Heath...

–Deja que te cure.

–No, encárgate de Harry. Alguien tiene que encontrar al imbécil de tu hermano antes de que haga una locura.

–¿Dónde está?

–No lo sé, se ha llevado el coche... iba conduciendo a toda velocidad y borracho como una cuba. Tengo que encontrarlo antes de que mate a alguien o se mate a sí mismo –dijo Heath–. Cuida de Harry.

Y luego desapareció, volvió a perderse en la noche. La tormenta era tan feroz que ni siquiera oyó el ruido del coche, solo pudo ver las luces desapareciendo por el camino.

Pasaron varias horas hasta que volvió a verlo. Varias largas y angustiosas horas.

Harry despertó poco después y preguntó por Heath y por su padre. Incapaz de darle una respuesta, Kat intentó distraerlo con un vaso de leche caliente con galletas. Luego lo llevó a la cama, en la habitación que solía ocupar cuando iba a visitarla y rezó para tener algo que decirle cuando se hiciese de día.

La tormenta estaba alejándose y era solo un murmullo de truenos en el cielo rosado del amanecer cuando vio el coche de Heath por el camino. Angustiada, Kat corrió hacia la puerta.

–¿Qué ha pasado? ¿Has encontrado a Joe?

–Deja que me siente... –Heath parecía tan cansado que apenas podía tenerse en pie–. Ha sido una noche infernal.

Kat tomó su mano para llevarlo al sofá donde Harry había estado unas horas antes.

–¿Y el niño?

–Está en la cama, dormido –respondió Kat–. Despertó poco después de que lo trajeras y aproveché para llevarlo a la habitación.

Heath asintió con la cabeza, su expresión sombría. Tenía peor aspecto que cuando llegó unas horas antes.

–Menos mal.

–Seguramente dormirá hasta mediodía.

Y sería lo mejor.

–¿Quieres beber algo?

Sabía muy bien lo que debería preguntar, pero no se atrevía a hacerlo. Porque la expresión de Heath le advertía que no iba a darle buenas noticias.

–Me han dado un café en la comisaría.

–¿La comisaría?

¿Sería posible que hubiesen detenido a Joe por conducir borracho?

«Por favor, que sea así».

–Kat...

Heath la abrazó y eso le dijo todo lo que tenía que saber.

La había abrazado así cuando murió su padre, pensó, aplastándola contra su torso. Y, como entonces, Kat escuchó los latidos de su corazón, el calor de su piel llegándole a través de la fina camisa.

Había sido una fría noche de otoño como aquella...

Kat estaba leyendo en un sillón mientras su padre dormitaba frente al televisor. Heath había ido a decirle que era hora de irse a la cama y ella se había levantado para darle un beso de buenas noches a su padre... pero en cuanto miró hacia el sofá y vio que tenía el cuerpo inclinado hacia delante, supo lo que había ocurrido.

Y Heath estaba allí, como lo estaba ahora. Allí para tomarla entre sus brazos, para sujetarla cuando sus piernas no podían hacerlo, para oírla sollozar sin decir nada porque no había nada que decir.

Esta vez el dolor no era tan terrible porque no era del todo inesperado. Sabía desde hacía meses que Joe estaba destruyéndose a sí mismo. Había visto las mismas señales en su marido y tenía poca confianza en que las cosas cambiasen. Pero había esperado que lo hiciese por Harry y enfrentarse con la destrucción de sus esperanzas era lo más duro.

Cuando ya no le quedaban lágrimas, Heath se apartó para empujarla suavemente hacia el sofá, sin soltar su mano.

–¿Qué ha pasado? –preguntó Kat por fin.

–Joe perdió el control del coche... con esa tormenta era una locura conducir a tal velocidad. No llevaba puesto el cinturón de seguridad y cayó por el puente. En su estado, no debió de darse cuenta de lo que pasaba.

Ella asintió con la cabeza.

–Gracias.

Eso fue todo lo que pudo decir mientras Heath apretaba su mano para darle fuerzas. De algún modo instintivo había entendido que eso era lo que necesitaba.

–Tendré que contárselo a Harry –murmuró, con voz temblorosa.

–Puedo hacerlo yo, si quieres.

–¿Lo harías?

Lo haría por Harry, Kat lo sabía en su corazón. El chico conmovía a Heath, tal vez porque le recordaba a sí mismo a su edad.

–Solo tienes que pedírmelo –dijo él, levantando su barbilla con un dedo para mirarla con esos ojos negros como la noche–. Puede que odiase a tu hermano, pero nunca le deseé la muerte, ni a él ni a tu marido. Si hubiera podido salvarlo, lo habría hecho.

–Lo sé.

¿Cómo iba a dudarlo cuando el gesto de derrota en su rostro le decía que lamentaba que todo hubiera acabado así?

–Joe y Arthur se destruyeron a sí mismos –murmuró–. Joe fue siempre tan celoso, tan huraño. Tuvo la oportunidad de ser feliz con Frances, pero cuando ella murió...

Heath asintió con la cabeza.

–Algo en él murió también, lo entiendo.

«Lo entiendo».

Kat tuvo que contener un gemido al comprender que lo entendía por experiencia. La idea de que hubiese amado a una mujer y la hubiera perdido le rompía el corazón. Habrían ocurrido tantas cosas en esos diez años de las que ella no sabía nada...

Tantas cosas habían cambiado y, sin embargo, cuando la abrazaba era como si estuviera con el antiguo Heath.

–Joe empeoró mucho tras la muerte de Frances, es verdad. Por eso venir a Grange, que era un remanso de paz comparado con la vida en High Farm, era tan importante para mí. Como escapar a un cuento de hadas, donde todo era tranquilo y fácil...

Kat miró alrededor, pensando que aquella había sido la primera habitación que vio la noche que los pillaron en el jardín, espiando.

–Te trajeron aquí –dijo él.

Era como si pudiese leer sus pensamientos. ¿Tan transparente era o sencillamente Heath la entendía mejor que nadie?

–Cuando me mordió el perro.

Habían estado paseando por el páramo y volvían a casa cuando vieron que todas las luces de Grange estaban encendidas. Kat siempre había querido ver el interior de aquella mansión, el hogar de una familia de aristócratas. Solo quería echar un vistazo y le suplico a Heath, aunque él intentó disuadirla. Era una tonta, le decía, y si se metía en un lío no iba a ayudarla. Pero ella pasó por alto la advertencia y atravesó el jardín sin pensar en los perros guardianes... y cuando uno de ellos le mordió el tobillo, se desmayó de dolor.

–Estaba muy asustada y cuando terminé aquí, con la madre de Arthur atendiéndome y limpiando la herida, pensé que estaba en el cielo.

–Nada que ver con las condiciones de vida en High Farm.

De nuevo, era una afirmación, no una pregunta.

–No, claro, pero...

Kat no se atrevía a contárselo todo. No se atrevía a decirle que se había sentido partida en dos por disfrutar de esas comodidades sin Heath, su leal amigo, a su lado. Porque Heath había hecho lo que había amenazado con hacer si se atrevía a ir a Grange: marcharse y dejarla sola. Joe se lo había confirmado cuando fue a visitarla con Frances al día siguiente.

–Pero lo mejor fue que me cuidase la señora Charlton –siguió Kat, para no tocar un tema tan delicado–. Me ofreció una cena fabulosa y una cama limpia. Nunca me habían tratado así. Mi madre murió cuando yo tenía siete años, así que...

–¿Por eso decidiste quedarte aquí?

–Sí, bueno, lo admito. Vivir aquí entonces era maravilloso. La señora Charlton me enseñó a arreglarme el pelo y a ponerme maquillaje... era muy divertido y las otras chicas ya no se reían de mí en el colegio. Si Arthur estaba interesado por mí entonces...

No, hablar de Arthur era un error, pensó al ver que el rostro de Heath se ensombrecía. Había ocurrido lo mismo cuando volvió a High Farm unos días después y, desde ese momento, todo cambió entre ellos. Heath se había apartado, mostrándose frío y distante, y ella se había vuelto hacia Arthur y sus amigos para llenar el vacío que la ausencia de Heath dejaba en su vida.

Y Arthur nunca la había deseado. Ella solo había sido un objeto decorativo para esconder sus verdaderas inclinaciones. Debía de saber incluso entonces que su ingenuidad y su deseo de ser aceptada la convertían en el perfecto peón para su cruel juego.

–¿Qué nos pasó, Heath? –le preguntó–. ¿Cómo hemos llegado hasta aquí?

Cuando volvió a mirarla había algo diferente en su expresión, algo tan triste que la conmovió.

–La vida nos ha pasado –respondió Heath–. Hemos cambiado.

–Es más que eso. Tú te alejaste de mí entonces... te mostrabas hostil, antipático, ya no querías ser mi amigo.

–¡Pues claro que no quería ser tu amigo!

Capítulo 8

PUES CLARO que no quería ser tu amigo».
Lo había dicho con un tono tan furioso que Kat lo miró, atónita. Su paciente amigo, su apoyo, había desaparecido y en su lugar había un extraño de ojos negros como carbones encendidos.

La había mirado así esa noche, recordó, cuando volvió de una fiesta en Grange. La señora Charlton la había llevado a la peluquería y luego a un salón de belleza y Kat estaba encantada con el resultado. Y encantada también con sus nuevos amigos. Muchos chicos la habían encontrado atractiva y, después de bailar toda la noche, había vuelto a casa como flotando sobre una nube... para encontrarse con la expresión furiosa de Heath.

–¿Lo has pasado bien? –le había preguntado él, con tono desdeñoso.

–Muy bien –respondió Kat, molesta–. No puedes imaginar lo maravilloso que es estar con gente que sabe pasarlo bien.

–Gente con dinero que sabe cómo gastarlo –replicó él–. Y tú sabes cómo llaman a una mujer que está con un hombre solo por su dinero.

Kat se había quedado tan sorprendida, tan dolida, que decidió replicar con una ironía:

–¿Afortunada? –se burló, viendo cómo le ardían los ojos de rabia.

–Avariciosa –dijo él–. Hay otra palabra, por supuesto, pero es mucho menos amable. Y no tengo la menor duda de que, si la dijera, irías corriendo a tu hermano para que me echase de aquí.

Que creyese que ella podría traicionarlo le dolió en el alma y, sin pensar, levantó la mano para darle una bofetada que había sonado como un trueno en el silencio de la casa. Atónita por su comportamiento, solo había podido mirarlo mientras Heath se llevaba la mano a la mejilla.

No había dicho una palabra. Se había limitado a asentir con la cabeza, como si eso hubiera confirmado lo que pensaba de ella. Y luego se dio la vuelta.

–Heath...

Kat lo había llamado en voz baja, tal vez por miedo a enfrentarse de nuevo con su desprecio.

–Sé que Joe se interpuso entre nosotros entonces –dijo ahora, sacudiendo la cabeza.

–No fue Joe, ni siquiera tu pasión por el lujo de la vida en Grange –replicó él–. Fuiste tú.

Su tono la dejó helada. Y, por la tensión que podía sentir en el cuerpo de Heath, no tenía duda de que estaba haciendo un esfuerzo para no levantarse.

–¿Yo?

¿Qué quería decir con eso?

–Tú –repitió él. Y el sonido de su voz la llevó de vuelta a aquel día, cuando volvió a Hawden después de diez años. Cuando estaban solos en el vestíbulo de Grange y él la había besado diciendo: «Si supieras el tiempo que he esperado para hacer esto».

No podía dejar de mirarlo a los ojos, como hipnotizada por lo que veía en ellos. Podía ver al chico que había sido su amigo entonces, el que había crecido y madurado. Heath había cambiado mientras ella seguía siendo la misma niña que no supo reconocer lo que estaba ocurriendo entre ellos. Lo que Heath sentía, pero intentaba controlar.

Por ella.

Había estado tan ciega.

–Heath...

Murmuró su nombre como si fuera diferente, extraño. Como si no lo hubiera usado nunca. Y no lo había hecho. Al menos, no de ese modo.

–¿Estás diciendo...?

–Te deseaba, Kat –dijo Heath–. Te deseaba hasta volverme loco. Estabas en mis pensamientos día y noche. Pensaba en ti cada minuto del día, te veía en sueños cuando dormía... –Heath dejó escapar una risa cínica, burlándose de sí mismo–. No, no dormía nunca. Trabajaba sin descanso para acabar agotado y así caer inconsciente en la cama. Para olvidarte, para olvidar lo que me comía por dentro, pero en cuanto cerraba los ojos te veía en mi imaginación...

Kat empezaba a sentir como si su mente se hubiera convertido en un puzle gigante cuyas piezas Heath hubiera desparramado por todas partes. Ahora, lentamente, las piezas iban colocándose en su sitio, pero ya no formaban la misma imagen que antes.

Heath la había deseado.

–Pero nunca me lo dijiste.

–¡Claro que nunca te lo dije! Para empezar porque eras menor de edad. Además, ¿cómo habría reaccionado tu hermano de haber sabido que el mendigo se atrevía a desear a su hermana?

–Nunca... nunca me besaste siquiera.

–No, nunca te besé. De haberlo hecho, no habría podido parar. Yo conocía los límites, sabía hasta dónde podía llegar para no perder el control. Si te hubiera besado, no habría podido parar, y Dios sabe qué habría ocurrido si hubiera puesto mis sucias manos sobre ti...

–No, por favor –lo interrumpió ella.

No quería que siguiera, pero sabía que iba a hacerlo. Tenía que decir las palabras porque estaban ahí, entre ellos, como una sombra oscura. Tenía que explicar por qué nunca le había dicho lo que sentía.

Y Kat sabía que, si Heath no lo decía, tendría que hacerlo ella.

–Tienes razón, ya he dicho más que suficiente.

–No, no es suficiente. Necesito que me digas la verdad, Heath.

–¿Qué quieres que diga?

–Era por mí, ¿verdad? Porque había cambiado. El tiempo que pasaba con Arthur, aquí en Grange, las cosas diferentes que quería de la vida...

Heath bajó la mirada y Kat sintió que había vuelto a levantar las barreras.

–Eso no hacía fácil que me acercase a ti.

–Me asombraba que te quedaras cuando Joe y

Arthur te trataban tan mal. En realidad, no entendía por qué seguías aquí.

Fue como si hubiese tocado un nervio. Heath se levantó de golpe y empezó a pasear por el salón como un felino enjaulado.

¿Qué había dicho? ¿Por qué reaccionaba de ese modo?

–¿Por qué no te fuiste, Heath? –insistió, levantándose a su vez.

Por fin, él dejó de pasear y se quedó mirándola, su cuerpo tenso, su rostro una máscara de control.

–Me quedé por ti.

–Por mí...

Kat repitió las palabras como un suspiro, su corazón alternando entre un baile de alegría porque Heath había sentido así y el terror por las implicaciones de esa frase.

¿De verdad había soportado los abusos de su hermano, los desprecios y las humillaciones de Arthur por ella?

–Pensaba que eras demasiado joven, demasiado ciega como para darte cuenta de lo que tu hermano tenía en mente.

–No te entiendo.

–Hacía falta dinero en High Farm y Charlton tenía mucho... o eso creía todo el mundo. Una boda entre los dos era justo lo que Joe necesitaba y Charlton estaba encantado con la idea.

–¿Lo habían planeado?

Nuevas piezas del puzle caían en su sitio, mostrándole que las cosas nunca habían sido lo que ella creía.

Joe siempre la había animado a ir la casa Grange. Había encontrado dinero, a saber dónde, para comprarle ropa nueva con la que ir a las fiestas que Arthur y sus amigos frecuentaban. Y durante todo ese tiempo, Heath se alejaba cada vez más de ella.

¿Pero no era cierto que también ella se había alejado de Heath?

Y había sido entonces cuando su hermano se volvió más cruel, haciéndolo trabajar sin descanso. Si era sincera consigo misma, casi prefería no encontrarse con él para no ver su gesto de desaprobación cada vez que volvía tarde a casa.

¿Cuántas veces se había preguntado a sí misma por qué Heath no mandaba al infierno a su hermano y se marchaba de allí?

«Me quedé por ti».

Había sido tan ingenua entonces. No entendía el complejo carácter de Heath y se había sentido halagada por las atenciones de Arthur. Unas atenciones falsas, había descubierto después de casados.

–Sobre Arthur... –empezó a decir. Al menos le debía eso, contarle la verdad sobre su matrimonio–. Al final, descubrí que no era el hombre que yo creía. Como Joe, se dedicaba a jugarse en el casino un dinero que no tenía y, cuando murió, la cantidad de acreedores que llamaron a la puerta me dejó consternada.

Heath no parecía sorprendido en absoluto. Y que recibiera esa confesión con tal calma era un alivio después de meses soportando susurros, cortinas que se apartaban a su paso, el miedo de que todo quedase al descubierto...

–Pero no era solo el juego, Arthur tomaba drogas –siguió–. Yo no sabía nada, pero estaba enganchado a la heroína y pasaba mucho tiempo en sórdidos clubs... –no podía dejar de hablar, las palabras saliendo de su garganta como un torrente.

Era como si alguien le hubiese quitado una mordaza desde que descubrió la verdad sobre su matrimonio. Nunca había podido contárselo a nadie y el silencio de Heath era lo que necesitaba para seguir.

–¿Por qué te casaste con él? –le preguntó entonces.

–Cometí el mayor error de mi vida –respondió Kat. Y, al decir esa frase, se dio cuenta del error que había cometido, de lo que había perdido al elegir a Arthur en lugar de a Heath–. Yo pensaba que Arthur, con su sonrisa fácil, era un tipo encantador y que la vida en Grange sería un sueño.

–Pero no lo fue.

–No, no lo fue –admitió ella, pensativa–. La primera vez que entré aquí, cuando me mordió el perro, lo único que quería era llamarte porque sin ti me sentía perdida. Los Charlton me hicieron sentir bienvenida, pero debería haberle hecho caso a mi instinto... porque esa noche tú no me abandonaste, ¿verdad?

–Me echaron de aquí a patadas –respondió Heath.

–No fue eso lo que me contaron –Kat suspiró–. Estaban intentando separarnos y yo dejé que lo hicieran.

–Solo tendrías que haberme preguntado.

–Entonces era demasiado orgullosa. Creí que me habías abandonado porque dijiste que lo harías y...

Impulsivamente, Kat puso una mano en su brazo. De repente, era como si solo tuviera eso para agarrarse a un mundo que estaba rompiéndose en mil pedazos. Desde el momento que, herida y dolorida, creyó la versión de Arthur y Joe, había visto el comportamiento de Heath a través de un espejo distorsionado por sus mentiras. Y por eso perdió al mejor amigo que había tenido nunca.

–Heath, lo siento mucho. Ojalá pudiese volver atrás y cambiarlo todo.

–No podemos cambiar el pasado, pero podemos dejar de repetir los errores –dijo él–. Podemos empezar de nuevo.

–¿Podemos? ¿De verdad podemos empezar de nuevo?

Le daba igual que su voz revelase cuánto significaba para ella. Quería que Heath lo supiera.

–Podemos intentarlo.

Una mano en su brazo no era suficiente. Quería estar más cerca, tocarlo, abrazarlo...

Quería besarlo. Un beso tenía que ser la forma de sellar aquella promesa; la promesa de reconstruir la confianza que una vez habían tenido.

–Me encantaría...

Kat se puso de puntillas para besarlo en la cara. No se atrevió a hacerlo en los labios porque se moriría si la rechazaba el hombre que...

Entonces se quedó sin aliento. No podía completar la frase, no era capaz.

Pero al sentir el calor de su piel, la palabra que buscaba estalló en su cerebro como una explosión.

Amor. Esa era la palabra que estaba buscando. Heath era el hombre al que amaba.

–Kat...

El sonido de su voz hizo que saliera de aquella especie de trance. Podía respirar de nuevo y la luz que entraba por la ventana era la misma. Pero algo había cambiado, algo fundamental.

–Eso me encantaría –repitió porque no se atrevía a decir lo que estaba pensando.

Cuando lo besó de nuevo en la mejilla, Heath murmuró algo en portugués que no entendió. Era tan diferente a las voces que escuchaba en Yorkshire cada día que aumentaba la sensación de irrealidad.

Esta vez, Heath movió la cabeza para que sus bocas se encontrasen y nada fue lo mismo. ¿Cómo podía serlo? Kat sentía como si nunca la hubieran besado. Y no lo habían hecho, así no.

Era como el zumbido de un enjambre de abejas en su cabeza, ahogando sus pensamientos. Kat abrió la boca, invitando la íntima invasión de su lengua, y tuvo que apoyarse en él para no perder el equilibrio.

Heath estaba por todas partes, rodeándola, apoyándola, envolviéndola y el pulso latía entre sus piernas haciéndola sentir un cosquilleo extraño...

–*Querida, anja...*

Heath empezó a hablar en portugués sobre sus labios, cada palabra puntuada por un beso.

No sabía si era el impacto de esos besos o la presión de su cuerpo, pero de algún modo iban caminando hacia atrás, moviéndose ciegamente hasta que terminaron contra la pared, los brazos de Heath a cada lado de su cara, la evidencia de su deseo contra su estómago.

Heath tiró hacia abajo del albornoz blanco que se había puesto cuando llamó al timbre horas antes, revelando el pálido camisón amarillo que llevaba debajo.

Había dejado de besarla en los labios para besar su cuello, su garganta, el nacimiento de sus pechos...

–Oh, Heath...

El nombre salió de su garganta como un suspiro de anhelo y su cuerpo se arqueó hacia él como por voluntad propia, sus pezones marcándose bajo el camisón.

Kat dejó escapar un gemido que se repitió, más urgente, cuando él inclinó la cabeza para envolver uno de sus pezones con los labios, tirando de él por encima de la húmeda tela.

–Heath...

Necesitaba más. Necesitaba tocar su piel. En su lucha por liberar sus brazos del albornoz, la prenda cayó al suelo, ignorada, mientras desabrochaba los botones de su camisa con tal fuerza que uno de ellos salió volando por el aire.

Heath murmuró algo de nuevo, algo que apenas pudo entender.

–Te deseo... –Kat no podía reconocer su propia voz–. Te deseo...

Se le doblaban las rodillas y tiró de él hasta que los dos estuvieron en el suelo, Heath tumbado sobre ella. Tenía el camisón levantado hasta la cintura, exponiendo sus pálidos muslos y la sombra oscura entre sus piernas. El peso de Heath era una gloriosa prisión, una promesa de placer que la hacía temblar de arriba abajo.

–Ha sido una noche terrible, pero...

Estaba echándole los brazos al cuello cuando se dio cuenta de que algo había cambiado. Que, de repente, Heath se había puesto tenso.

–¿Heath? –Kat tuvo que hacer un esfuerzo para abrir los ojos–. ¿Qué ocurre?

–*Nao!* –exclamó él, con vehemencia–. *Nao!* ¡No puede ser!

Si le hubiera dado una bofetada, no se habría quedado más sorprendida o desorientada. No sabía qué decir. Debería moverse, apartarse de él o al menos ponerse el albornoz, pero no tenía fuerzas para hacerlo.

–Heath, ¿qué te pasa?

–He dicho que no –repitió él, frío e inaccesible–. Esto no va a pasar. Esta noche no, así no.

–Pero...

«Esta noche no, así no».

Esas palabras se repetían en su cabeza una y otra vez. No podría soportarlo si Heath, como Arthur, la rechazaba. Pero él la deseaba, había notado su deseo. Heath se había mostrado ardiente, apasionado. Había sido él quien instigó aquello.

Por fin, encontró fuerzas para levantarse, pero

cuando logró ponerse en pie Heath estaba metiendo los faldones de su camisa en el pantalón.

–He dicho que no –repitió, con los dientes apretados.

¿Qué había pasado? ¿Qué había hecho?, se preguntó Kat. Estaban besándose y, de repente, como si alguien hubiera pulsado un botón, se había apartado de ella.

¿O se había equivocado desde el principio? Ella tenía muy poca experiencia en la que basarse. Casada con un hombre al que no le gustaban las mujeres, un hombre que jamás la había excitado como el ser alto y oscuro que estaba a su lado, tal vez había entendido mal las señales...

Si Heath la hubiera besado cuando era una adolescente inmadura, tal vez habría entendido esas cosas. Las entendía ahora, las entendía muy bien. Pero lo que hacía que su corazón se encogiese de pánico era pensar que tal vez lo había descubierto demasiado tarde.

Y lo peor de todo era reconocer que lo amaba, que tal vez siempre lo había amado sin saberlo. Incluso cuando se había dejado seducir por Arthur y su familia, por la casa Grange...

Pero Heath se había marchado porque no quería traicionarla. Entonces sabía que sus sentimientos eran demasiado fuertes, demasiado fieros para la niña que era ella y había soportado los insultos de su hermano, su crueldad, por ella. Y también marchándose había demostrado cuánto le importaba.

«Joe, oh Joe...».

El recuerdo de cómo había empezado aquella noche terrible hizo que se llevara una mano al corazón. Joe tenía muchos defectos, muchos más de los que ella había creído.

Pero era su hermano.

¿Pero qué había dicho para que Heath se apartase?

¿Sería posible que incluso ahora estuviese intentando protegerla? Heath sabía que estaba dolida por la muerte de su hermano y no quería aprovecharse.

«Así no».

Pero si no iba a ser así, si no iba a ser esa noche, ¿cuándo?

No se atrevía a preguntar. No podía arriesgarse a que Heath dijera: «Nunca».

–Volveré más tarde si quieres que hable con Harry –murmuró él, tomando su chaqueta.

–Heath...

El brillo helado de sus ojos hizo que tomase el albornoz del suelo, pero le temblaban las manos y lo único que pudo hacer fue colocarlo frente a ella como un escudo.

–¿Qué quieres, Kat?

–Solo quería preguntar...

El cálido y apasionado Heath que la había besado unos minutos antes había desaparecido, dejando en su lugar a un extraño. Un hombre al que no sabía cómo llegar.

–¿Iras... irás al funeral de Joe?

¿Qué había hecho para que la mirase así? ¿Qué había dicho para que su rostro se convirtiese en una máscara?

Le estaba pidiendo algo imposible, pensó entonces, dejando que sus propios deseos la cegasen. ¿Por qué iba a ir Heath al funeral del hombre al que detestaba?

–Lo siento...

Pero cuando iba a retractarse, él asintió con la cabeza.

–Sí –respondió–. Si quieres que vaya, iré.

Capítulo 9

LA PUERTA se cerró cuando el último de los vecinos que había ido a dar el pésame a la casa Grange se marchó y Heath oyó a Kat suspirar, murmurando un sentido «por fin».

–¿Se han ido todos?

–Sí, se han ido todos –respondió ella, entrando en la cocina–. Gracias a Dios. Sé que la gente viene porque lo considera su obligación, pero han pasado casi dos semanas y siguen viniendo.

–Están preocupados por ti.

–Lo sé y se lo agradezco, pero estoy tan cansada. Además, hablar de Joe hace que lo recuerde y... ¿qué estás haciendo?

–Poner el lavaplatos –respondió él–. No tiene importancia.

–Pero no tienes que...

–No te preocupes, antes solía fregar a mano.

Ella tuvo que sonreír.

–Sí, es verdad. ¿Recuerdas cómo discutíamos sobre quién debía lavar y quién debía secar?

–Tú solías decir que yo debía lavar porque tenía las manos sucias después de limpiar los establos.

–Porque siempre estabas en los establos –Kat sacudió la cabeza, recordando–. Ya no hay caballos en High Farm, hace tiempo que no los hay...

–Lo sé.

–¿Sigues montando a caballo? ¿Tienes caballos en Brasil?

–Alguno.

Heath cerró la puerta del lavavajillas antes de ponerlo en marcha y mientras escuchaba el ruido del agua entrando en el aparato pensó en la enorme finca que tenía en Brasil, en los magníficos caballos que pastaban en el prado, detrás de la casa.

Caballos pura sangre, pero que nunca habían significado para él tanto como el viejo caballo que el señor Nicholls le dejaba montar... un poni que Joe le había quitado cuando su caballo se quedó cojo.

La casa en Brasil y la inmensa finca que la rodeaba era más de lo que nunca había soñado, pero jamás había sido un hogar.

Nada que ver con lo que Grange le había parecido en las últimas semanas. Al principio, tuvo que reconocer la alegría que experimentaba cuando entraba por el camino, una alegría que había faltado en su vida durante años. Que había faltado siempre, si debía ser sincero. Salvo cuando el padre de Kat lo llevó a su casa y sintió que por fin había encontrado su sitio...

Qué equivocado estaba entonces.

–Estás cansada –dijo Heath, apartando una silla para ella–. Siéntate, voy a prepararte una copa.

–No quiero más té, por favor. He tomado litros.

Kat tenía ojeras y sospechó que, como él, había dormido poco desde la muerte de Joe.

–¿Tiene que venir más gente?

–Espero que no –respondió ella–. Pero debo darte las gracias. Has sido una gran ayuda estos días.

–Alguien tenía que echar una mano.

Kat asintió con la cabeza.

–Me gustaría que aceptases la invitación de alojarte aquí en lugar de hacerlo en High Farm.

–¿Y qué pensarían los vecinos?

Intentaba mostrarse despreocupado cuando la verdad era que su proximidad era una tortura. Por eso seguía en High Farm. Si Kat supiera el infierno que sería estar con ella en aquella casa, verla todos los días, saber que estaba en la ducha o en la cama... la cama que una vez había compartido con su marido.

Estando a varios kilómetros de allí le resultaba casi imposible dormir porque cada vez que se tumbaba en la cama sus pensamientos eran para ella. Y cuando se quedaba dormido soñaba con ella. Unos sueños tan eróticos que despertaba cubierto de sudor y con el corazón acelerado.

Qué terrible ironía haberse prometido a sí mismo que Kat iría a él, que le rogaría que hiciesen el amor y, sin embargo, haber tenido que darse la vuelta cuando lo hizo.

¿Porque cómo iba a creer lo que decía esa noche? ¿Cómo iba a aceptar que sabía lo que estaba haciendo cuando su hermano acababa de morir?

¿Y cómo iba a aprovecharse cuando unas horas más tarde recuperaría el sentido común y se daría cuenta de que había cometido el mayor error de su vida?

Había soportado su rechazo una vez, diez años antes, cuando le rompió el corazón y no estaba seguro de poder soportarlo una vez más.

Fuera lo que fuera lo que había querido creer cuando llegó a Hawden, lo único que sabía en aquel momento era que, si Kat lo rechazaba, no tendría razones para vivir.

De modo que mantuvo las distancias, aunque hacerlo lo estaba matando.

–Me da igual lo que piensen los vecinos –respondió ella–. Que piensen lo que quieran. No es asunto suyo lo que yo haga o deje de hacer.

Heath miró su reloj. Había pensado esperar hasta que todo estuviera firmado, pero tal vez lo mejor sería no retrasarlo más. Tal vez, si tomaban una copa, podrían charlar...

–Son casi las siete y media, ¿quieres una copa de vino?

–Sí, estaría bien.

–¿Ha llamado Harry? –le preguntó mientras abría una botella.

El chico estaba en casa de un amigo del colegio donde iba a pasar la noche. Eso lo ayudaría a distraerse y olvidar la tragedia de su padre, pensó Heath. Durante esos días, Harry y él habían ido a dar largos paseos e incluso le habían dado algunas patadas a un balón.

Kat asintió con la cabeza.

–Mark y él van a ver una película esta noche.

Una de esas películas de miedo que yo no le dejaría ver, pero creo que ahora mismo es lo mejor para él.

–Sí, es cierto.

–Me ha preguntado dónde estabas... se ha encariñado contigo.

Heath emitió un bufido, su atención concentrada en la copa que estaba llenando.

Harry no era el único que se había encariñado, pensó Kat. En los últimos días Heath no se separaba de ellos y, francamente, no sabía qué habría hecho sin él.

Al principio, Harry se había negado a hablar con nadie y Heath era el único que podía llegar a él. Tal vez porque sabía lo que era que la vida pusiera obstáculos en su camino desde muy pequeño o tal vez porque compartían intereses como los caballos o el fútbol, pero esa amistad había ayudado mucho al niño.

El pobre Heath también había tenido que lidiar con la histeria de Isobel cuando llegó a casa y descubrió que estaban preparando el funeral de Joe.

El funeral.

Kat tomó la copa con manos temblorosas. No sabía cómo habría podido soportar aquello sin Heath a su lado para tomar decisiones y apoyarla cuando todo era demasiado para ella.

Las últimas semanas habían sido como volver atrás en el tiempo, cuando vivía felizmente en High Farm con Heath a su lado.

Pero sabía que no podía durar para siempre. En algún momento se marcharía a Brasil y ella tendría que enfrentarse sola con la vida.

Lo había hecho una vez, pero en esta ocasión sería mucho porque entonces había tenido que enfrentarse con la vida después de haber perdido a su mejor amigo... ahora tendría que hacerlo después de perder al hombre del que estaba enamorada.

Heath se sentó a su lado, con la copa en la mano. Vestido con una camiseta azul marino de manga larga y pantalones vaqueros, era sencillamente devastador. La mandíbula cuadrada con sombra de barba y el brillo de la esmeralda en el lóbulo de su oreja le daban ese aspecto de pirata que la había sorprendido tanto cuando llegó a Grange.

El hematoma de su cara había desaparecido, pero seguía doliéndole en el alma lo que pasó esa noche. Su hermano siempre había usado la violencia cuando no podía salirse con la suya...

Cuando fue al día siguiente, se había quedado atónita al ver el estado de High Farm después del incendio y le pidió a Heath que se alojase en Grange, pero él se había negado.

–No me gusta nada que vuelvas a High Farm esta noche –insistió de nuevo, llevándose la copa a los labios.

–No está tan mal –murmuró él–. Hay varios albañiles trabajando ahora mismo y están haciendo grandes progresos.

Era una respuesta amable, como lo había sido desde la noche que prácticamente se echó en sus brazos.

¿Pero qué podía esperar? ¿Que cambiase de opinión? ¿Que olvidase su declaración de que eso no podía ocurrir?

Y, sin embargo, Kat podría haber jurado que durante ese oscuro y desesperado amanecer Heath estaba tan excitado como ella.

–Será asombroso ver High Farm restaurada –empezó a decir para no pensar en ello–. ¿Cuánto tiempo crees que tardarán en hacerlo?

–Unas cuantas semanas, tal vez un mes.

–¿Y qué harás cuando hayan terminado las obras?

–Tengo planes –respondió él, evasivo.

Planes que no pensaba compartir con ella, evidentemente.

Kat tomó otro sorbo de vino, intentando esconder cuánto le dolía eso. Cada vez que intentaba acercarse un poco, sus intentos parecían rebotar en su armadura...

En unas semanas se habría marchado, pensó. Heath volvería a su vida en otro continente, lejos de allí. Pronto estaría sola otra vez y tendría que empezar a pensar en cómo iba a ganarse la vida.

El único alivio era que la empresa propietaria de la Grange había decidido darle algo de tiempo. Inesperadamente, habían enviado un mensaje a través de su abogado expresando sus condolencias por la muerte de su hermano y ofreciéndole unas semanas de gracia antes de que tuviera que irse de allí.

Kat no había esperado que fueran tan generosos, pero el armisticio no duraría para siempre. La casa y todo su contenido pertenecían ahora a esa empresa y pronto tendría que hacer las maletas.

Y lo peor de todo era que no sabía qué iba a hacer con Harry.

Tal vez Heath podría ayudarla, pensó. No económicamente, por supuesto. No podía pedirle dinero, pero tal vez podría darle consejo.

Había abierto la boca para decirlo cuando una oleada de recuerdos hizo que la cerrase de nuevo. No sabía qué estaba pensando Heath y no quería arriesgarse a abrir viejas heridas... o peor, a que se marchase de allí.

Esa idea la puso tan nerviosa que cuando iba a llevarse la copa a los labios derramó un poco de vino.

–Cuidado...

Heath puso dos dedos en sus labios para evitar que se manchase la blusa blanca. Y se quedó mirándola, sus impenetrables ojos negros clavados en los suyos.

–Gracias.

Al menos eso era lo que Kat había querido decir, pero se le rompió la voz al notar el calor de sus dedos, el sabor salado de su piel mezclado con el vino.

Y después de haberlo probado no podía olvidarlo.

Con el corazón saltando dentro de su pecho, rozó sus dedos con la punta de la lengua y lo oyó contener el aliento...

Se daba cuenta del efecto que la caricia ejercía en él. Quería decir algo, pronunciar su nombre, pero su voz la había desertado y Heath no apartaba la mano de su cara. Y cuando volvió a pasar la lengua por sus dedos...

–Kat...

Su voz sonaba ronca y sabía que la suya sonaría de igual modo si intentase hablar. Y, de repente, recordó una vez, mucho tiempo atrás, cuando escuchó esa misma nota ronca en su voz. Entonces había sido demasiado ingenua como para interpretar lo que significaba.

Pero esta vez sí lo sabía.

–Voy a besarte –dijo Heath–. Y si no es lo que quieres...

–Es lo que quiero.

Y, para demostrarlo se echó hacia delante, con los labios entreabiertos, sus ojos clavados en él.

Sus alientos se mezclaron un segundo antes de que sus labios se encontrasen y Kat cerró los ojos mientras Heath la besaba, el calor de su boca una promesa del placer que estaba por llegar.

Pero ella quería más que una promesa. Recordaba el peso de su cuerpo esa noche, en el salón, y quería eso otra vez...

No supo cuál de los dos se movió antes. Solo sabía que se movieron y que, aunque unos segundos antes la mesa estaba entre los dos, ahora estaban uno en brazos del otro, sin nada entre ellos más que la ropa.

La boca de Heath era tan ardiente como la suya, buscando, anhelando, tomando; el íntimo baile de sus lenguas haciéndolos jadear.

–*Querida... namorada...* –murmuraba él.

Pero incluso esos segundos que se había apartado para respirar eran demasiado. Kat estaba hambrienta de él y le echó los brazos al cuello, tomando por sí misma los besos que tan desesperadamente necesitaba.

Unos segundos después ni siquiera eso era suficiente y sus manos se encontraron mientras intentaban desnudarse el uno al otro, encontrando botones, cremalleras, cualquier cosa para librarse de la restricción de la ropa.

Heath la empujó sobre la mesa y a Kat se le escapó una risita cuando las patas rechinaron contra el suelo de azulejos, el mueble empujado por el peso de los dos.

Su coleta desapareció bajo los ansiosos dedos de Heath, que sujetaba su cabeza para besarla a placer, mientras con la otra mano buscaba los botones de su blusa, abriéndolos sin contemplaciones y sin preocuparse del daño que pudiese hacer a la delicada tela.

Aunque a Kat tampoco le importaba un bledo. Y cuando bajó las tiras del sujetador para acariciar sus pechos fue una explosión de sensaciones tan fuerte que agradeció estar apoyada en la mesa porque le temblaban demasiado las piernas como para sostenerse en pie.

La pasión que había entre ellos parecía haberle robado las fuerzas y solo agarrándose a los hombros de Heath evitaba caer al suelo.

–¿Cómo vamos a hacerlo? –murmuró, pasando la lengua por el lóbulo de su oreja y cerrando los dientes sobre la esmeralda–. ¿Dónde?

Porque no tenía la menor duda de que iba a ocurrir. Se moriría si no lo hicieran. Se moriría si Heath paraba...

Pero Heath no parecía tener intención de parar y, después de besarla en los labios una última vez, la tomó en brazos para llevarla hacia la puerta.

–Arriba –respondió mientras se dirigía a la escalera.

Estaban a medio camino cuando se detuvo para mirarla con una expresión tan vulnerable que le rompió el corazón.

–Tu habitación –empezó a decir, un mundo de significado en esas palabras–. Yo no...

No tenía que terminar la frase, Kat lo entendió inmediatamente.

Su habitación, su cama.

No la cama que una vez había compartido con Arthur.

–Mi habitación –asintió.

Tampoco ella quería que su primera vez fuese en la cama que había compartido con el hombre al que Heath odiaba tanto.

Su primera vez.

Eso la hizo recordar algo que había olvidado. Algo que los besos de Heath habían hecho que olvidase. Y no podía guardárselo por más tiempo.

Heath abrió con el pie la puerta de la habitación que le había indicado; la habitación en la que se había instalado cuando su desastroso matrimonio se volvió insoportable, mucho antes de la sórdida muerte de Arthur.

Pero cuando la dejó sobre la cama, Kat tomó su cara entre las manos.

–Heath... –empezó a decir, en voz baja–. Hay algo que debo decirte.

–Kat...

Era más un gruñido de protesta que una palabra, pero se detuvo y Kat vio el brutal esfuerzo que hacía para controlarse. Sabía lo que sentía porque ella sentía lo mismo, pero tenía que decirlo.

–Heath... esta cama, mi cama... –no sabía cómo decírselo, de modo que hablaba atropelladamente–. No tienes que preocuparte por los recuerdos de Arthur porque no hay ninguno. Nunca hicimos el amor, ni en esta cama ni en ninguna otra.

–Pero...

Heath echó la cabeza hacia atrás, sorprendido.

–¿Nunca?

–Nunca –respondió Kat–. Nunca.

Él se quedó en silencio y, de repente, Kat tuvo miedo de que se apartase. ¿Habría dicho demasiado?

–No sabes lo que eso significa para mí –dijo Heath por fin, inclinando la cabeza para buscar sus labios en un beso que borró todas sus dudas y sus miedos–. Eres mía –musitó–. Solo mía, como tiene que ser.

Cuando volvió a acariciarla, tocándola por todas partes con manos ansiosas, fue como si ese momento de vacilación no hubiera existido. Como si el pasado se hubiera esfumado y solo existieran ellos, juntos, perdidos en aquel mundo de secreta sensualidad en el que nadie podía molestarlos.

–No tengas miedo, yo te enseñaré... cómo debe ser.

Miedo era lo último que Kat sentía en ese momento. Estaba abrumada de placer y de felicidad porque Heath parecía encontrar zonas erógenas que ni ella misma sabía que existieran.

Sintió que se abría para él, floreciendo bajo sus caricias. La ardiente pasión que la había poseído desde el principio se volvía salvaje y fiera, con una urgencia nueva que nacía de saber que aquello era especial, que significaba algo.

Se quitaron el resto de la ropa con manos impacientes y la sensación de estar piel con piel provocó un incendio que la hizo pensar que iba a disolverse por completo. No podía creer que fuera posible sentir algo así, que un hombre pudiera hacerla sentir algo así.

Pero no era cualquier hombre, era Heath.

–Ven a mí... –Kat tiraba de sus poderosos hombros mientras arqueaba la espalda hacia él, capturando el lóbulo de su oreja con los dientes y sintiendo una oleada de femenino placer al notar que se estremecía–. Ven a mí, te deseo...

–Espera...

Por un momento, cuando la miró a los ojos, sintió como si pudiera ver sus más escondidos secretos, sus más profundos anhelos.

Y eso era lo que quería porque por primera vez en su vida podía ser ella misma. Porque lo mejor de su espíritu, de su alma, era lo que sentía por aquel hombre.

–Soy tuya –musitó–. Como has dicho, soy tuya.

–Eres mía –repitió él–. Y yo te enseñaré...

El resto de la frase se perdió entre suspiros y gemidos de placer mientras cumplía su palabra, reduciéndola a un estado de sensual abandono. Hasta que, cuando por fin se colocó sobre ella, abriendo sus piernas con una rodilla y acercándose al centro de su deseo, ya estaba abriéndose para él, urgiéndolo a hacerla suya.

Pero aun así, en el momento de mayor pasión, Heath vaciló durante un segundo, mirándola a los ojos mientras acariciaba su mejilla.

–¿Me deseas?

Incapaz de encontrar palabras para asegurarle que así era, Kat dejó que su cuerpo hablase por ella arqueándose mientras lo recibía. La repentina punzada de dolor la dejó sin aliento, pero se agarró a él, temiendo que se apartase.

–No voy a ir a ningún sitio –le aseguró Heath–. Pero dime...

–Ahora –lo interrumpió ella, casi con fiereza cuando el dolor pasó y el roce de su piel despertó de nuevo su deseo–. Ahora, Heath.

Aliviado, Heath le dio lo que le pedía. Con cada lenta y poderosa embestida la llevaba más arriba hasta que por fin sintió que se perdía en un sitio desconocido y echó la cabeza hacia atrás, enterrando los dedos en su espalda, las piernas enredadas en su cintura. El nombre de Heath una deliciosa letanía en su lengua, su cuerpo entregado por completo al placer de estar con él.

Era algo salvaje y fiero, pero como un bálsamo para su alma de mujer. Era para lo que había vivido hasta ese momento, lo que había esperado y lo que la liberaría para siempre.

Y cuando llegó el momento de total liberación, sintió que entraba en un nuevo y asombroso mundo. Un mundo donde sensaciones que solo había soñado, que apenas podía imaginar, bombardeaban su cuerpo y su mente hasta hacer que perdiese la cabeza.

Capítulo 10

EMPEZABA a amanecer después de una noche larga y sensual. Exhaustos después de horas de pasión, ni Kat ni Heath se movieron hasta que llegó la luz del día.

Ella fue la primera en despertar y, mientras se estiraba lánguidamente, sintió un ligero escozor entre las piernas. Pero era una sensación bienvenida porque significaba el principio de un nuevo momento de su vida, la realidad de ser una mujer completa, una mujer que tenía un amante: el hombre que lo significaba todo para ella. El hombre al que adoraba.

Tumbada a su lado, se apoyó en un codo para mirar sus largas pestañas, su expresión relajada. Había perdido algo del bronceado en esas semanas, pero la marca de la cicatriz seguía allí después de tanto tiempo.

Sus ojos se llenaron de lágrimas al recordar y, alargando una mano, tocó la cicatriz con sumo cuidado. Pero la caricia despertó a Heath, que pestañeó un par de veces, desorientado.

–Buenos días.

–Buenos días –murmuró ella, inclinándose para

besar aquella marca en su cara, deseando poder borrarla con sus labios.

Sin embargo, sabía que no podía hacerlo porque era tan parte de Heath como el color de sus ojos o el pelo que se alborotaba en su coronilla o su boca sensual.

Pero le gustaría poder borrar con besos los amargos recuerdos, los terribles celos de Joe que habían provocado esa cicatriz, la amargura que había alejado a Heath de Hawden durante tanto tiempo.

–Kat... –murmuró. Y ella pensó que nunca, jamás, se cansaría de escuchar su nombre en labios de aquel hombre.

–Lo siento –susurró–. Ojalá no hubiese ocurrido nunca.

–Kat... –dijo él de nuevo, pero en esta ocasión con un tono muy diferente.

Y cuando lo miró a los ojos le parecieron un pozo oscuro y sin fondo en el que podría ahogarse si no tenía cuidado.

–Querida... –empezó a decir él. Y su tono hizo que el corazón de Kat se encogiera–. Tengo que contarte algo.

Pero en ese momento oyeron el ruido de un coche en el camino y, unos segundos después, el timbre de la puerta.

–¿Quién será?

Inquieta, Kat se levantó de la cama para acercarse a la ventana y su corazón dio un vuelco al reconocer el coche y al hombre alto de pelo gris.

–Katherine, tenemos que hablar.

Heath estaba levantándose de la cama, pero Kat no se dio cuenta de que había usado su nombre completo o que hablaba con tono preocupado.

–Es Randolph, mi abogado. No sé para qué habrá venido –se dirigía a la puerta mientras hablaba, poniéndose un vestido que encontró sobre el sillón.

–Kat –repitió Heath.

Pero el timbre sonó de nuevo, esta vez con más urgencia.

–No puedo hacerlo esperar. Tengo que abrir.

–Espera un momento...

La puerta de la habitación se cerró tras ella y, mascullando una palabrota, Heath se levantó de un salto para buscar su ropa por el suelo. Pero ponerse los vaqueros no era tan fácil como ponerse un vestido y tardó unos segundos en salir de la habitación... unos segundos que no podía perder.

Y cuando llegó al primer piso, descalzo y abrochándose el cinturón, Kat ya había recibido al abogado y estaba llevándolo al salón.

Aunque era de día, las luces de la cocina seguían encendidas, la prueba de lo distraídos que habían estado el día anterior.

–¿Seguro que no quiere un café? –estaba diciendo Kat. Y su voz sonaba curiosamente serena a pesar de la situación.

–No, gracias –respondió el abogado.

Maldito fuera. Si hubiese aceptado el café, al menos tendría unos segundos para hablar a solas con ella... o para hablar con Jordan Randolph y explicarle lo que debía decir y lo que no.

En lugar de eso, iba a tener que depender de gestos y señales. Si pudiera hacer que lo entendiese...

Aunque, por la manera en la que Randolph respondió en cuanto entró en el salón, no parecía posible.

–Buenos días, señor Montanha. No esperaba verlo aquí.

Kat se volvió para mirarlo, sorprendida.

–¿Os conocéis?

–No –respondió Heath.

Pero era evidente que estaba mintiendo.

–No nos habíamos visto nunca –explicó Randolph–. Le pedí que nos viéramos aquí, pero...

–Le dije a las diez y media.

–Son las diez y media –le recordó Kat, señalando el reloj de la pared.

Estaba muy seria y Heath sabía por qué: empezaba a lamentar lo que habían hecho.

La emoción de la noche anterior había desaparecido por completo, como si nunca hubiera ocurrido. Y algo que parecía una garra cruel estaba apretando su corazón.

–Ningún problema –Jordan Randolph se había dado cuenta de la tensión y estaba intentando aliviarla–. Para algo tan importante como esto, tengo todo el tiempo que haga falta.

–¿Tan importante como qué?

La pregunta de Kat iba dirigida más a Heath que al abogado y, por cómo se miraban, empezaba a sospechar algo.

Después de la felicidad del día anterior era como

si hubiera despertado en una pesadilla en la que su apasionado amante se había convertido en otra persona. Un hombre cuyo rostro parecía tallado en piedra y que le rehuía la mirada para esconder sus pensamientos.

–Dime por qué mi abogado... perdón, el abogado de Arthur, esta aquí cuando yo no le he pedido que viniese.

–Kat...

–Y dime por qué sabe tu nombre cuando de lo único que he hablado con él es de la entrega de Grange a la compañía Itabira... –Kat no terminó la frase–. Dios mío...

Fue al pronunciar ese nombre cuando lo recordó: Heath había dicho que su esmeralda provenía de la mina Itabira. Y la prueba de que no se equivocaba estaba allí, en el brillo de sus ojos, en el rictus de su boca.

Kat se dio la vuelta para mirar al abogado.

–Señor Randolph, dígame la verdad.

–No –la interrumpió Heath con tono helado–. Esto es entre nosotros, Kat. Te dije que teníamos que hablar.

–Ahora entiendo de qué.

Heath se volvió hacia Randolph.

–Me temo que ha hecho el viaje en balde. Deme los papeles, yo me encargaré de todo. Le llamaré cuando vuelva a necesitarlo.

–¡No tenemos nada de qué hablar! –exclamó Kat cuando la puerta se cerró tras el abogado–. No tienes que decirme nada, ya lo sé.

–¿Lo sabes?

¿Cómo podía ser tan frío, tan distante, después de la noche que habían compartido? ¿Cómo podía estar tan tranquilo, con las manos en los bolsillos del pantalón, sus anchos hombros bloqueando la luz que entraba por la ventana, cuando ella sentía como si estuviera rompiéndose en pedazos?

En su cabeza se repetían las últimas semanas, pero con una nueva y aterradora visión. Y el problema era que esa nueva visión, oscura y turbadora, era la verdad.

–Sí, lo sé –reuniendo fuerzas, Kat lo miró a los ojos–. Tú siempre odiaste a Joe y a Arthur... aunque no me sorprende. Te marchaste de aquí hace diez años y has vuelto con intención de saldar cuentas, lo dijiste el primer día.

¿Había estado Heath a punto de decir algo? Le pareció como si se hubiera movido... al menos, había un cambio en su expresión.

Pero cuando ella hizo una pausa, no dijo nada, se quedó donde estaba, mirándola, esperando.

–Ya has tomado posesión de High Farm y, aunque yo no lo sabía, la siguiente víctima soy yo.

Esta vez, Heath sí reaccionó. Sacudió la cabeza varias veces, pero no dijo nada.

–La empresa Itabira, tu empresa, es la mayor acreedora de Arthur, de modo que vas a quedarte con la casa, con toda la finca.

–Kat...

–Randolph y yo hablábamos con los abogados

de Itabira, con *tus* abogados. Y durante todo este tiempo me has estado engañando.

–Sí, es cierto.

Lo había dicho con total frialdad. ¿Pero qué había esperado, que intentase negarlo? ¿Que le diera una interpretación diferente? ¿Qué otra interpretación podía haber?

–No solo sabías lo que estaba pasando, tú lo pusiste en movimiento.

–Sí.

–Has estado jugando conmigo.

–No –dijo Heath entonces. Y su tono era totalmente diferente, oscuro y enfático.

–¿No?

–Nunca he jugado contigo.

–No, claro que no –replicó ella, irónica–. Tú sabías que tu compañía... que tú ibas a quedarte con todo, pero no me dijiste una palabra. ¿Eso no es jugar con alguien?

Kat recordó el día que fueron a buscar a Harry al colegio. Entonces le había preguntado qué iba a hacer con Joe y con su hijo ya que él era el dueño de High Farm. Pero Heath no había sugerido que los llevase a Grange, no la había hecho creer que el niño podría vivir allí.

Porque ya sabía que iba a quitarle su casa.

–Durante estas últimas semanas has intentado ganarte mi confianza mientras le dabas órdenes a tus abogados para que reclamasen cada céntimo, para que me dejasen sin nada. Me tenías en tu poder y has dejado que Harry se encariñase contigo...

No iba a hablar de sí misma, no iba a decirle que lo amaba.

Había vivido durante unas semanas sabiendo que amaba a Heath. Incluso, durante un tiempo, se había permitido a sí misma la fantasía de que él también pudiese amarla algún día.

Cuando volvió para darle la noticia de la muerte de su hermano y cuando estuvo a su lado durante el funeral, había querido creer que existía alguna posibilidad...

Qué ingenua había sido.

Sus ojos se llenaron de lágrimas al recordar la noche anterior y tuvo que hacer un esfuerzo para seguir. Incluso le había entregado su virginidad, su amor, porque había pensado que le importaba.

Heath había tomado posesión de su dinero, de su casa y, por fin, de ella.

–¿No has estado jugando conmigo? ¿Cómo llamas a lo que has hecho?

Heath se pasó las dos manos por el pelo, mirando los documentos sobre la mesa.

–¿Crees que esto tiene algo que ver con el dinero?

Atacaba en lugar de defender lo indefendible y eso hizo que Kat diese un paso atrás.

–Es evidente.

–¿Evidente? Si es tan evidente que quiero tu dinero, dime por qué no te lo dije el primer día. ¿Por qué no te hice saber inmediatamente que te tenía en mi poder si eso era lo que quería?

–Porque...

Kat no encontraba una respuesta para eso. Podría haber conseguido lo que quería el primer día, era cierto. Y no quería pensar en cómo su corazón se alegraba al pensar que no lo había hecho.

–¿Por qué no lo hiciste?

–Porque el dinero o las propiedades me importan un bledo. Tengo más que suficiente... más de lo que cualquier hombre podría gastar en toda una vida. ¿Para qué iba a querer más?

–Pero dijiste que tenías cuentas que saldar.

–Y así era –respondió Heath–. Pero ajustar cuentas con Joe o con tu marido no me va a hacer más rico. Quería que supieran lo que era estar en la posición en la que yo había estado, sin poder, sin dinero, sin hogar... y quería que me viesen en la posición en la que Joe y Arthur habían estado una vez, el hombre que tenía poder sobre ellos.

–Y por eso se lo has quitado todo.

Heath se encogió de hombros.

–No se lo he quitado, es mío. Arthur debía más de lo que crees... de hecho, era mucho peor de lo que tú puedas imaginar. Se había involucrado en asuntos ilegales para quedarse con una de mis empresas, pero en lugar de eso, yo lo arruiné a él.

–¿Qué?

–Me hice cargo de las deudas y conseguí de él todo lo que quería antes de que muriese.

–¿Entonces por qué has vuelto?

Heath se sentó en el brazo del sofá. El cambio de posición parecía indicar un cambio de humor, pero Kat no podía saber qué estaba pensando.

–Tú sabes la respuesta a esa pregunta.

–¿La sé?

Él asintió con la cabeza, los brillantes ojos negros clavados en su rostro.

–He respondido a esa pregunta varias veces.

«Me quedé por ti», recordó Kat.

Heath la miraba fijamente y algo en ese escrutinio hizo que intentase recordar...

–Si entonces te quedaste por mí, ¿qué te hizo cambiar de opinión? ¿Por qué te marchaste?

Era la pregunta que debía hacer y el cambio en su expresión le dijo que había acertado. Y, de repente, Kat supo que había algo más aparte de la crueldad de su hermano.

–Me fui por ti.

–¿Por algo que hice?

Pero en cuanto hizo la pregunta, supo la respuesta. Y, horrorizada, escuchó a Heath repetir las palabras que ella había pronunciado una vez...

«¿Gustarme Heath? Lo dirás de broma. Por favor, míralo, sin dinero, sin trabajo, sin clase. Puede que mi familia esté pasando por un mal momento, pero aún tenemos orgullo. ¿Cómo iba a gustarme Heath?».

Le daba vueltas la cabeza. Se sentía enferma al recordar ese momento.

–Lo escuchaste...

–Sí, lo escuché.

Pero no había condena en su expresión, ni rencor. Al contrario, en sus ojos veía un brillo de comprensión.

–Lo siento mucho...

¿Qué más podía decir? Lo sentía, más de lo que Heath pudiera imaginar.

–Tal vez era lo más lógico –dijo él entonces–. Y tal vez fue una suerte que yo lo escuchara.

–No, eso no es verdad. Ni siquiera lo pensaba –se defendió Kat–. Arthur estaba celoso y me dijo que había visto cómo me mirabas. Y también dijo que me gustabas, por mucho que yo quisiera disimular.

–¿Qué?

–Joe se puso furioso al saberlo y dijo que, si era cierto, te mataría. Y Arthur pensaba echarte de aquí. Juró hacer lo posible para que no encontrases trabajo en ningún sitio, así que...

–Dijiste eso para protegerme.

Kat asintió con la cabeza.

–¿Lo sabías?

–No, lo he entendido ahora –admitió Heath, pasándose una mano por el pelo–. Entonces pensé que te disgustaba de verdad y no pude soportarlo, por eso me marché.

–No sabía que estuvieras escuchando. De haberlo sabido...

Heath se levantó entonces para tomar su mano y entrelazar sus dedos con los suyos.

–Lo entiendo, Kat.

–No, no puedes entenderlo. Yo sé que no...

–Entonces tenías quince años. Tu hermano era tu tutor y Arthur era el hombre más rico de Hawden mientras yo... en fin, ya sabes lo que yo era.

–¿Qué?

–No tenía dinero, ni trabajo, ni futuro, ni clase... en realidad, me describiste perfectamente y ese fue el empujón que necesitaba. Me decía a mí mismo que me quedaba por ti, pero no podía ofrecerte nada que mereciese la pena. Gracias a ti me marché de aquí para hacer algo con mi vida –Heath acarició tiernamente su mejilla–. Tenía que convertirme en el hombre que tú merecías.

–El hombre que yo merecía –repitió ella, desconsolada–. Oh, Heath, tú siempre me has merecido. Dios mío, ¿qué pensarías de mí cuando supiste que me había casado con Arthur?

–Si quieres que sea sincero, te odié por ello –respondió él–. Pero eso fue antes de entender que Arthur tenía algo que ofrecerte mientras yo no lo tenía. Esperaba que te hiciera feliz, pero entonces descubrí los sucios tratos que tenían Joe y él... y me enteré de muchas otras cosas.

–¿Por qué no volviste entonces?

–Pensaba volver para avisarte, pero la cuesta abajo de Arthur fue más rápida de lo que yo había previsto y murió antes de que pudiese hacer nada. No quise venir cuando tú acababas de enviudar porque pensé que estarías desolada...

–No, no lo estuve –lo interrumpió Kat–. Nuestro matrimonio terminó antes de empezar, desde el primer día. Desde que me di cuenta de que Arthur no tenía el menor interés por mí.

Heath intuyó la importancia de las palabras que estaba a punto de decir y permaneció callado.

–La razón por la que mi matrimonio con Arthur

nunca fue consumado es que él no estaba interesado en las mujeres. Lo intenté varias veces porque creía que era mi obligación, pero no sirvió de nada. Arthur era homosexual, pero no quería admitirlo y me acusaba a mí de no saber excitarlo. Me decía que no era una mujer de verdad, que no era lo bastante sexy...

–Que no eras sexy –repitió Heath, incrédulo.

–Decía que solo me excitabas tú –le confesó Kat, sacudiendo la cabeza–. Y creo que lo de anoche demuestra que tenía razón. La verdad es que nunca tuvo una esposa ni una mujer que lo amase porque yo nunca amé a Arthur. Me casé con él por... por soledad. Porque siempre te había amado a ti y lloraba al saber que no volvería a verte nunca.

–Kat...

–Nunca he deseado a otro hombre, solo a ti.

Al ver que Heath cerraba los ojos un momento, supo que no había necesidad de preguntar qué significaba eso para él. Estaba en su cara, en sus ojos empañados de emoción.

Kat respiró profundamente, buscando valor para seguir:

–Así que voy a preguntarte de nuevo: ¿por qué has vuelto, Heath?

–Pensé que volvía para vengarme –respondió él, con voz ronca–. Pero la verdad es que volví por ti. No he podido olvidarte por mucho que lo intentase. Volví por ti, pero si me lo pides me marcharé.

–¿Qué? –exclamó Kat.

–Pero antes... –Heath se apartó para tomar los

documentos que había sobre la mesa–. Esta es la escritura de Grange, la casa es tuya. Tuya y de Harry. Decidas lo que decidas, siempre tendrás esta casa y la finca... ¿qué haces?

Kat había tomado la escritura y estaba rompiéndola en pedazos, que dejó caer sobre la alfombra.

–No la quiero, no quiero esta casa.

–Pero es tuya.

–Es la casa de Arthur, la casa Charlton, no tiene nada que ver conmigo. Si quieres dársela a alguien, dásela a Isobel, la pobre va a necesitarla.

–Pero tú... ¿dónde iras? Necesitas un sitio en el que vivir. Si no quieres la casa Grange, entonces te daré la escritura de High Farm –anunció Heath–. Voy a convertirla en una casa fabulosa para ti y para Harry, un sitio donde puedas ser feliz.

Kat tuvo que contener un sollozo. Heath sabía que High Farm siempre había sido su hogar, pero sin él solo sería una casa. Por muy restaurada y modernizada que estuviera, no sería nada más que eso. De modo que negó con la cabeza.

–No puedo aceptarla.

–¿Por qué?

–No quiero que te vayas de aquí. Y no quiero... –Kat intentó hablar, pero tenía un nudo en la garganta–. Heath...

–No, espera, deja que lo diga yo.

En sus oscuros ojos vio un brillo de esperanza, tan débil, tan frágil que no se atrevió a hablar.

–Kat, no estoy haciendo esto como debería. Lo estoy haciendo en el orden equivocado... hablando de casas cuando lo que debería hacer es preguntarte si quieres ser mi mujer y dejar que te ame como siempre he anhelado hacerlo.

–Como siempre lo has hecho –dijo Kat, sabiendo que era la verdad–. Y eso es lo que quiero. No puedo ser feliz si tú no estás en mi vida, Heath. Somos dos partes de un mismo todo y nunca estaría completa sin ti.

–¿Entonces te casarás conmigo?

–Sí, cariño.

Heath la tomó entre sus brazos para darle un largo y apasionado beso y, por la ternura que puso en esa caricia, Kat supo que no había necesidad de palabras. No había necesidad, pero salían de su corazón sin que pudiese evitarlo:

–Iré donde tú vayas, a High Farm, a Brasil...

–Brasil nunca ha sido mi hogar –le aseguró Heath–. ¿Cómo iba a serlo si mi corazón siempre ha estado aquí, contigo? Y ahora podemos hacer que esas dos partes sean un todo. Crearemos un hogar para Harry donde pueda crecer feliz. High Farm volverá a ser el sitio que era cuando vivía tu padre.

–Oh, Heath...

–Llenaremos los prados de animales, los establos de caballos, las habitaciones de niños. Será nuestro hogar, nuestro futuro.

–Un hogar de verdad.

Kat tomó la cara de Heath entre las manos para mirarlo a los ojos y en ellos vio un brillo de auténtica felicidad, por fin.

Y supo entonces que, en todos los sentidos, Heath había vuelto a casa.

–Será perfecto –murmuró–. ¿Cómo no va a serlo? Mi hogar está donde tú estés... tú, el dueño de mi corazón.